D0581790

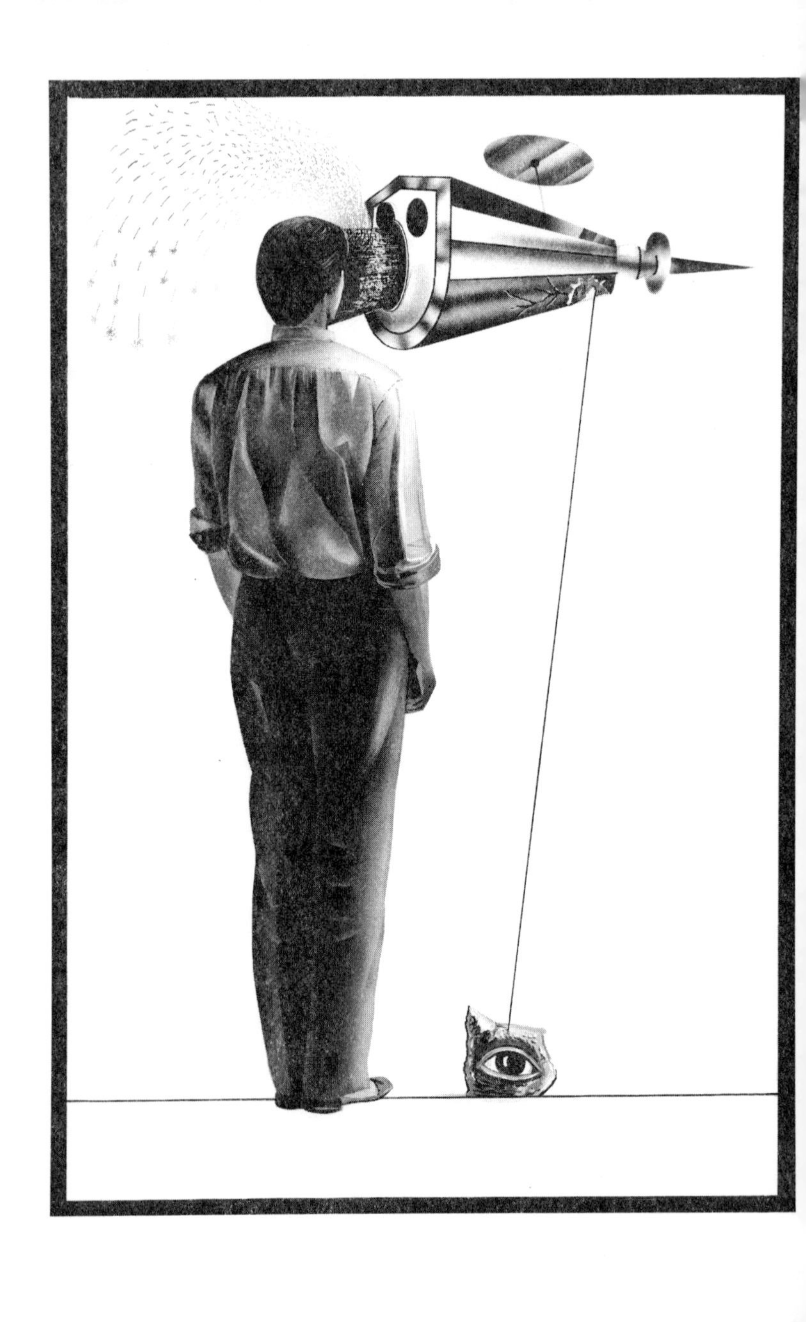

JEAN MAZARIN

Nausicaa

FRONTISPICE DE
PETER PUSZTAI

Vignette de couverture:
Doc. Vloo - Young Artists - Gordon Crabb

ISBN 2-8302-1551-6

16 398 026 (30

Sur les milliards de milliards d'étoiles qui sont autant de soleils, un jour, je pourrais tendre ma main à une autre intelligence qui me détruira peut-être...

Alors, l'homme aura achevé sa longue quête et son histoire ne sera plus que passé.

Extrait du journal de route
du commandant John E. Artman
Premier homme de la Terre à avoir
foulé le sol de Nausicaa.

LES EXPLORATEURS
(avril 2203)

1

La navette se posa sur le flanc en pente douce d'une colline, non loin du point de chute de la sonde Livingstone-16 qui était là depuis maintenant trente ans.

Ils regardèrent longtemps par le hublot avant gauche de la navette, celui qui s'ouvrait sur la plaine que les découvreurs avaient baptisée vallée Bertrand, du nom de celui qui, le premier, en avait tracé les limites sur la carte reconstituée par l'ordinateur du Centre d'implantation terrienne.

Tout était ocre. Le sol, sable et pierrailles, à perte de vue. Même la rivière aux eaux rares et les arbustes rabougris qui constituaient en fait l'unique végétation de la planète. Et surtout les deux soleils jumeaux qui venaient de jaillir sur l'horizon à quelques minutes d'intervalle.

— Contrôle atmosphérique positif, déclara Liv Artman.

Elle se retourna, sourit à ses compagnons et ils trouvèrent du réconfort dans son sourire.

Liv approchait de la trentaine. C'était une femme solidement plantée sur des jambes robustes, résultat d'acquis génétiques accumulés par de nombreuses générations de paysans. Elle avait abandonné la campagne à l'âge de douze ans, quand ses tests lui avaient valu la sélection à l'école des Cadres de l'espace.

Maintenant, elle était biologiste-médicale, spécialiste des mondes du dernier cercle. Le commandant John Artman, responsable de la maintenance et du pilotage manuel, dirigeait l'expédition. Le troisième passager de la navette se nommait Donald Winsgate, un jeune docteur en acclimatation spatiale (un transplanteur, comme on disait au Centre...) dont c'était la première mission au-delà du système solaire. Son rôle serait déterminant puisqu'il était chargé du classement de la planète en catégorie colonisable ou non, ce qui en ferait un nouveau bastion humain ou une boule à jamais déserte.

La navette s'était posée depuis quarante minutes sur Nausicaa, troisième planète du système VIII de Bételgeuse, une boule à peine plus grande que la lune terrienne et que les sondes automatiques avaient déjà explorée. Atmosphère viable pour des humains entraînés, mais ce qui avait surtout attiré l'attention des spécialistes de la colonisation était l'étrange pesanteur de la planète, égale à celle de la Terre, peut-être à peine cent milligrammes-force de moins.

Le premier rapport d'une sonde automatique avait conclu à de fausses informations, à un dérèglement du transmetteur et on avait attendu quarante ans pour y expédier un engin plus perfectionné, un modèle de la série Livingstone. Cette fois, les données purent être testées à plusieurs reprises et les ordinateurs du Centre étudièrent la pesanteur anormale, concluant que le noyau de la planète devait renfermer un métal encore inconnu et extraordinairement lourd.

C'est en 2195 que la sonde Livingstone-16 fut confrontée à de nouveaux phénomènes étranges, sans doute négligés lors des premiers relevés. Il fallait maintenant analyser le pourquoi de ces orages titanesques qui ravageaient l'hémisphère nord de la planète. Plusieurs fois, les capteurs automatiques enregistrèrent des charges électriques d'une puissance de dix milliards de watts.

Les ordinateurs parvinrent à déterminer que ces éclairs exceptionnels touchaient le sol en quatre points bien précis situés aux quatre angles de la vallée Bertrand.

Il avait fallu attendre huit ans encore pour qu'une navette habitée fût larguée au large de Nausicaa, à la périphérie extrême des zones alors explorées par les hommes de la Terre.

— Contrôle de température extérieure positif, annonça la jeune femme.

Elle savait déjà que tous les contrôles seraient positifs, les sondes ayant vérifié mille fois les éléments nécessaires à une vie humaine sans protection permanente. Le verdict était tombé. *Sortie sans protection sans durée maximum.*

L'ordinateur de la navette analysait maintenant les effets des soleils de Bételgeuse sur la surface de la planète.

Rayonnement supportable sans dommage par l'organisme humain durant douze heures terrestres consécutives puis régénérescence par oxygénation forcée.

Le commandant quitta son siège. Il s'avança vers l'écran sur lequel il jeta un coup d'œil désabusé. Les consignes de sécurité édictées par le Centre avaient été encore renforcées depuis la disparition de trois expéditions successives dans les marécages de la planète Utika où l'on savait cachés d'immenses gisements de Litium-40, ce métal désagrégateur qui constituait la base même du carburant pour les navires intergalactiques.

John eut une moue satisfaite. Il revint au hublot par lequel on apercevait ce qui restait de la sonde Livingstone-16, un amas de ferraille rouillée, sans doute démantelée au cours des ans par les orages démentiels qui parcouraient la planète durant la mauvaise saison.

— Il a cessé d'émettre il y a trois mois... Jusqu'alors, il nous envoyait régulièrement ses relevés de puissance électrique et ses analyses de sol...

Le commandant se tourna vers Donald Winsgate. Une fois encore, il ressentit cet étrange sentiment, peut-être de l'animosité envers le transplanteur. Sans doute ces trop longs mois terrestres passés à vivre confinés dans le vaisseau-mère. Presque cinq cents personnes, mais les membres des missions *exploratoires* ne se mêlaient que difficilement aux équipages. Une élite qui ne se quittait guère car il fallait revoir cent fois, mille fois les mêmes choses, refaire les mêmes gestes, arriver à penser, à agir comme s'ils n'avaient jamais vécu que sur ce monde inconnu qu'ils étaient chargés de découvrir. Parfois, l'un d'eux assistait seul à des réunions de spécialistes, ce qui laissait du temps libre...

John avait surpris des regards échangés entre le transplanteur et son épouse... Des regards... Il avait pensé qu'il pouvait y avoir quelque chose entre eux... Du désir, un sentiment... Quand son tour de veille le retenait de longues heures sur la passerelle du vaisseau-mère, il se laissait aller à ses fantasmes, imaginant les corps enlacés de son épouse et de Winsgate... Alors, il se disait qu'il n'aurait jamais dû épouser Liv, une femme plus jeune que lui, trop jeune sans doute, conquise trop facilement au tout début de leur entraînement pour la mission Nausicaa... Winsgate n'était arrivé que plus tard, juste avant le départ.

— Vous pourrez quitter la navette dans un quart d'heure, annonça la jeune femme.

John Artman passa dans le sas de sortie où se trouvaient les équipements. Il enfila lentement les vêtements étanches qui ne laissaient libres que les mains et le visage, protégeant le reste du corps. Il serra ensuite une ceinture d'arme à laquelle étaient suspendus un étui contenant son pistolet, les munitions, ainsi qu'un coutelas de chasse.

Il se coiffa finalement d'une casquette à longue visière et prit un fusil automatique à trente coups, avec deux chargeurs de rechange incrustés dans la crosse. Il eut un haussement d'épaules. Il n'y avait rien de vivant sur cette planète, mais c'était le règlement.

Etre toujours armé sur un monde non colonisé.

— On y va, ordonna-t-il à Winsgate.

Le transplanteur le rejoignit et s'équipa rapidement. Il prit quand même le temps de vérifier soigneusement le fonctionnement de ses armes.

— Tu pars en guerre ? lui demanda John.

— Je me contente d'appliquer le règlement...

Il lança un regard en biais vers le commandant.

— Un jour, John, ta confiance te jouera un mauvais tour.

Le commandant hésita à répondre, se demandant si c'était de la provocation. Il parvint à garder une voix normale.

— Il n'y a rien de vivant sur cette foutue

planète et, de toute manière, ce ne seraient certainement pas ces armes qui te protègeraient contre un éventuel danger.

Le transplanteur sourit sans répondre.

John Artman se tourna vers son épouse qui demeurerait dans la navette pour maintenir la liaison avec le vaisseau-mère ancré au-delà de l'attraction planétaire. Il lui fit un petit signe de la main, quelque chose comme « tout sera O.K. », puis il enfila des gants de cuir très fin.

Sur une planète comme Nausicaa, tout devait bien se passer.

Les deux hommes s'étaient installés dans la jeep électrique, un véhicule tout-terrain disposant d'une autonomie presque illimitée puisque ses batteries solaires se rechargeaient automatiquement.

John ajusta le micro-casque grâce auquel il resterait en contact avec la navette.

— Ouverture de la porte extérieure, ordonna-t-il.

Winsgate alluma le tableau de bord de la jeep. Quand la tension fut montée, il brancha le commandeur à distance et déclencha l'ouverture.

Le plateau pivota lentement sur lui-même, s'abaissant pour former une rampe sur laquelle John engagea la jeep. Les roues étaient équipées de pneus à basse pression car les analyses de Livingstone-16 affirmaient que le sol était constitué d'une épaisse couche de sable de très fine consistance, du moins dans la vallée Bertrand.

La première roue toucha le sol, y marqua son empreinte, puis ce fut la deuxième. John retint sa respiration. Il ressentait toujours le même ridicule pincement au cœur lorsque son véhicule roulait pour la première fois sur un monde nouveau. Il en avait déjà exploré plus d'une douzaine mais, chaque fois, la question se reposait, toujours éternelle, toujours sans réponse. *Allait-il se trouver en face d'une autre intelligence ?*

Et tous les commandants des navettes devaient ressentir la même angoisse, et tous s'étaient certainement posé la même question depuis la première colonisation, mais jamais encore l'un d'eux n'avait rencontré une vie autre que végétale.

Une seule fois en deux siècles, sur Aristophane, une planète géante de la constellation du Cygne, des micro-organismes avaient retenu l'attention du monde scientifique, mais aucun véritable contact n'avait pu être établi avec ces entités malgré un comportement qui aurait pu faire penser à une vie collective.

Cette fois, John était certain qu'il ne pouvait exister de vie sur ce sol tellement dense, dans ces paysages traversés d'orages titanesques. Durant sept mois, une avant-sonde planante avait parcouru la surface de la planète, envoyant ses appels biologiques et thermiques à intervalles réguliers, ne recevant en réponse que de fortes décharges d'électricité statique.

Il se mit en contact-radio.
— Vérification d'écoute...
— Ecoute parfaite, répondit la jeune femme.
— Nous prenons la navette pour centre et nous commençons une première exploration selon la technique de l'escargot.

2

— Les palpeurs de la jeep renvoient des informations qui se superposent parfaitement à celles de la sonde... Tout est O.K.

John desserra les freins et dirigea la petite voiture vers ce qui restait de la sonde Livingstone-16. Ils y parvinrent en un peu moins d'une demi-heure.

L'engin automatique se trouvait au bas d'une longue pente douce et ses sabots stabilisateurs s'étaient enfoncés de plusieurs décimètres dans le sable ocre. Les superstructures avaient été arrachées par les tempêtes et elles pendaient sur la coque dont la peinture était usée comme si on l'avait passée au papier de verre durant des semaines et des mois, sans jamais prendre de repos.

John quitta son siège. Il s'avança lentement vers la sonde. Arrivé à moins d'un mètre de celle-ci, il se sentit projeté en arrière comme si une barrière invisible le repoussait. Il reprit son souffle, tendit lentement son bras, appuya sa main sur cet écran invisible. Il sentit une onde légère le parcourir.

Il se recula à nouveau, se tourna vers la jeep où Winsgate surveillait les instruments de mesure.

— Alors ?

— Electricité statique sur la sonde, répondit le transplanteur... Environ vingt mille volts qui se concentrent en face de toi, quelque chose d'incroyable... Recule-toi en vitesse ou tu vas te transformer en torche.

John revint sur ses pas, s'arrêta à côté de la jeep.

— Je vais lancer un leurre qui attirera le courant statique, annonça Winsgate.

Il saisit l'une des petites boîtes noires dont l'expédition avait été abondamment fournie par le service de sécurité qui les avait spécialement mises au point pour l'exploration d'une planète aussi perturbée par des orages magnétiques.

Il l'envoya à environ deux mètres de la sonde. Une gigantesque étincelle se forma en grésillant et un pont lumineux se matérialisa entre la boîte noire et l'amas de ferraille écaillée.

— Que se passe-t-il ? demanda Liv Artman qui suivait la progression sur les écrans des capteurs TV.

— Electricité statique, répondit John... Le danger est maintenant écarté.

Il s'approcha à nouveau de la sonde, suivi cette fois par Winsgate qui ne quittait pas des yeux son voltmètre portatif. Mais il n'y avait plus de courant dans la carcasse d'acier.

John ôta son gant et passa ses doigts sur la surface polie de Livingstone-16.

— Les vents doivent atteindre parfois plus de trois cents kilomètres-heure. C'est l'unique explication du ponçage de cette coque.

— Trente ans quand même qu'elle est ici...

— Touche l'acier... On dirait maintenant du vulgaire fer-blanc et bientôt le sable pénètrera à l'intérieur.

Winsgate s'approcha à son tour de la sonde. Il se baissa vers l'un des bras métalliques qui s'était enfoncé dans le sol d'une bonne vingtaine de centimètres. Il examina longuement la bobine d'enregistrement qui s'y trouvait enchâssée puis il essaya de la dégager.

— C'est bloqué...

John s'approcha à son tour.

— Pourquoi veux-tu récupérer cette bobine ?

— Elle doit contenir la fin de l'enregistrement que la panne du transmetteur a interrompu.

— Comment peux-tu affirmer ça ?

Winsgate eut un sourire.

— Simplement en étudiant de près la bande-copie... Regarde, il y a sur cette bobine 650 mètres de micro-enregistrement alors que les transmetteurs n'en ont envoyé que 625, ce qui consolide ma conviction que la perte de contact avec Livingstone-16 n'était peut-être pas naturelle.

— Un incident dû à la tempête, sans doute une décharge électrique.

— Peu de chances, car les transmetteurs sont toujours placés sous champ négatif. Seulement, sur les derniers mètres reçus, on a détecté par la suite des bruits de fond, des bruits modulés...

— Pourquoi n'en avoir jamais parlé ?

Winsgate haussa les épaules.

— Je m'excuse, John, mais c'étaient mes ordres.

Le commandant hésita un instant puis il sortit un tournevis d'une des poches de sa combinaison. Il en enfonça l'extrémité sous la bobine et essaya de faire levier pour la sortir de son logement.

— Tu vas la briser ! s'exclama Winsgate.

John se redressa et tendit son tournevis au transplanteur avec lequel il échangea un long regard silencieux. Winsgate prit l'outil et il s'appliqua à dégager lentement les deux goujons qui retenaient la bobine. Les pas de vis étaient faussés, usés par le sable qui avait érodé le métal durant toutes ces années.

John retourna près de la jeep. Il leva alors les yeux vers le ciel où s'amassaient d'énormes nuages sombres que les soleils rouges transformaient en masses animées, presque vivantes.

John y découvrit des images déjà perçues sans qu'il puisse les situer exactement dans sa mémoire. Formes mouvantes de créatures mal finies ou ébauches ratées de ce qui aurait pu être la vie. Peu à peu, les masses devinrent plus sombres, s'épaissirent et, au loin, un premier éclair se brisa sur le sol.

— Navette appelle explorateur... Navette appelle explorateur...

La voix de la jeune femme lui parvenait

déformée par les interférences magnétiques, tantôt lointaine, tantôt toute proche, mais toujours irréelle. Il lui semblait entendre un vieux disque qui aurait trop servi.

— Orage en approche... Les instruments de détection prévoient une force 8 avec vents violents... Retour immédiat d'explorateur.

Il prit un outil dans la jeep et revint à côté de Winsgate qui venait d'avoir raison d'un des deux goujons.

— Faut rentrer...

— Pas avant d'avoir récupéré cette bobine.

— C'est un ordre...

Le transplanteur leva le visage vers John.

— Je dois ramener cette bobine à la navette.

— Alors, laisse-moi faire...

John se baissa et entreprit de tordre le second goujon avec la clef anglaise qu'il avait ramenée. Bizarrement, alors que la coque entière de Livingstone-16 paraissait n'être devenue qu'une carcasse de fer blanc que l'on aurait pu tordre à la main, la petite pièce d'acier résistait.

Il força.

— Attention, cria Winsgate... Si tu érafles la céramique, l'enregistrement sera endommagé, peut-être détruit.

John s'arc-bouta, tendant ses muscles jusqu'à la douleur et, brusquement, le goujon céda. Sa main dérapa et alla érafler l'acier coupant... Le sang gicla. Une plaie profonde qui partait du pouce pour traverser la paume de la main droite.

Il lâcha la clef anglaise en même temps que la bobine du palpeur.

Winsgate se précipita, ramassa la bobine qu'il essuya soigneusement avant de l'envelopper dans un mouchoir de cellulose et de la glisser dans l'une des poches de sa combinaison.

— Aide-moi donc au lieu de te préoccuper de cette saloperie...

Winsgate plongea sa main dans la poche-pharmacie et il en sortit une compresse autocollante imprégnée de désinfectant. Il s'approcha de John.

— Montre-moi ta main.

Le commandant ouvrit lentement ses doigts qu'il avait instinctivement retenus fermés, comme si ce geste avait pu arrêter miraculeusement l'hémorragie.

— Mais...

Winsgate regarda la plaie, bien nette, profonde, qui séparait presque la main en deux. Le sang ne coulait plus, ne perlait même plus sur les lèvres à peine roses de la déchirure.

— C'est impossible, balbutia-t-il.

John restait sans voix, regardant lui aussi la blessure cautérisée par quelque mystérieuse puissance. Il fit jouer ses doigts puis plia sa main sans ressentir aucune douleur. Un simple picotement. Il avança les doigts de son autre main, effleura la plaie. La peau était maintenant lisse, presque transparente, un peu comme si elle se régénérait à vue d'œil.

Winsgate appliqua le pansement qui se colla immédiatement sur la plaie et les deux hommes retournèrent vers la jeep en se protégeant le visage car le vent se levait, soulevant le sable rougeâtre qui montait en hautes colonnes tournoyantes.

— Prends les commandes, ordonna John qui s'installa sur le siège du passager.

Winsgate mit son casque, rabattit la visière et brancha la liaison radio avec la navette. Le visage de Liv apparut sur le petit écran. Elle paraissait anxieuse.

— Rentrez vite, dit-elle... L'orage n'est plus qu'à cent milles nautiques... Quelque chose d'imprévisible !

3

La jeune femme avait pansé plus soigneusement la blessure de son époux, après lui avoir fait une piqûre de sérum et un anticorps absolu pour prévenir les éventuelles infections.

— C'est bizarre, constata-t-elle après avoir longuement examiné la plaie... On dirait que tout a été cautérisé par coagulation instantanée, un peu comme avec un bistouri électrique.

— Peut-être le résultat du courant statique qui semble entourer la planète.

— Ce monde me fait peur, murmura Liv... Ce n'est pas la première fois que des humains débarquent sur une planète inconnue, mais je ne sais pas pourquoi, quelque chose me souffle que nous ne sommes pas sur une simple boule qui se promène dans l'espace en tournant autour de deux soleils rouges...

— Que veux-tu dire ?

— C'est inexplicable, John, certainement une appréhension ridicule... Sans doute à cause de cet orage qui n'aurait pas dû se former puisque nous sommes en saison sèche.

— Les études météo sur Nausicaa ne datent que de trente ans et il peut y avoir des manques de données...

Elle le laissa pour retourner au poste de contrôle général. L'orage battait maintenant son plein. Contrairement à ce qui se passait sur les autres planètes, ici, il ne pleuvait que rarement, de véritables trombes. La plupart du temps, il n'y avait que le vent qui soulevait le sable et les éclairs qui striaient le ciel épais sur lequel glissaient de stériles masses nuageuses.

Soudain la jeune femme tressaillit.

John qui l'avait rejointe se trouvait à quelques pas d'elle, à surveiller les générateurs d'énergie. Il vit une pluie d'étincelles jaillir des cadrans de contrôle qui se trouvaient devant son épouse et l'entourer comme une aura lumineuse, dessinant sa silhouette, virevoltant comme des abeilles phosphorescentes qui chercheraient leur reine.

Brusquement, tout devint obscur à l'intérieur de la navette.

— Le circuit principal vient de nous lâcher, annonça Liv d'une voix étrangement calme. Je branche le secours A.

La lumière clignota puis se rétablit progressivement. John s'approcha, inquiet, le cœur cognant dans sa poitrine. Apparemment, Liv n'avait rien. Elle se tenait immobile, penchée sur le cadran enregistreur des décharges électriques engendrées par l'orage.

— Ce n'est pas possible, balbutia-t-elle.

— Quoi donc ?

— L'éclair qui vient de frapper le sol à environ trois kilomètres devant nous...

— Eh bien ?

— Il a été enregistré avec une puissance de dix mille mégawatts.

John se pencha à son tour sur le cadran de contrôle.

— Nous avons encaissé la foudre de plein fouet et tous nos circuits électriques ont brûlé... Ce foutu enregistreur est nase !

La jeune femme pianota sur son clavier d'appel. Elle demanda une vérification immédiate des enregistrements de la puissance des décharges orageuses. La réponse arriva, implacable... *Dix mille mégawatts.*

— On n'a jamais vu une telle force naturelle... Aucune centrale nucléaire terrienne n'arrive à cette puissance !

— Peux-tu déterminer avec précision le point d'impact de l'éclair sur le sol ?

La jeune femme pianota à nouveau sur son clavier.

— Point 546-nord par 76-ouest, exactement deux kilomètres huit cents droit sur le cap Vo12.

— Dès que l'orage sera passé, nous retournerons explorer ce secteur... L'impact a dû y laisser une trace gigantesque.

La jeune femme restait immobile, les yeux toujours fixés sur les cadrans du poste de contrôle. Elle eut un frémissement qui n'échappa pas à John.

— Te sens-tu bien ?

Elle se retourna, sourit pour le rassurer.

— Un peu nerveuse...

Il s'approcha et hésita à poser sa main sur son épaule. Quand il le fit, elle sursauta et il eut l'impression qu'elle cherchait à fuir son contact. La question lui effleura les lèvres et le doute envahit une fois de plus son esprit. Il retira sa main, se tourna vers les écrans sur lequel le système de recherches projetait ce que filmaient les caméras extérieures.

Les nuages passaient toujours au-dessus de la vallée Bertrand, déjà moins denses, moins noueux, et le sable ocre commençait à retomber lentement vers le sol, formant un brouillard rampant, comme un voile de sang qui recouvrirait la planète...

***

— John, viens voir !

Le commandant se retourna.

Le transplanteur se tenait sur le seuil du minuscule laboratoire. Il avait l'air exalté et ne semblait pas pouvoir articuler ses propres pensées. Il avala plusieurs fois sa salive avant de murmurer d'une voix qui ne se tenait pas très bien :

— C'est incroyable !

John lança un regard à son épouse avant de se diriger vers le laboratoire.

— Liv, viens aussi, dit le transplanteur.

— Je dois rester au contrôle général.

— Branche-le en automatique... Après ce que vous allez découvrir, il n'y aura peut-être plus besoin d'aucune sorte de contrôle.

Ils pénétrèrent dans le laboratoire. Winsgate avait placé la bobine de céramique dans un lecteur-décodeur et il se tenait à côté de la machine.

— Alors, qu'as-tu découvert d'extraordinaire ? lui demanda le commandant.

— On n'avait pu relever l'anomalie auparavant car le transmetteur de Livingstone-16 devait être brouillé par les interférences des orages, or il semble que le phénomène ne se produit que lorsque de fortes charges électriques frappent le sol de la vallée Bertrand.

John échangea encore un regard avec son épouse.

— Quel phénomène ? demanda-t-il.

— Ecoutez...

Winsgate enclencha le lecteur. Ils entendirent d'abord un sifflement modulé — le vent — puis le crissement du sable qui s'écrasait sur la coque de la sonde. Des ronflements sourds et la déflagration d'un éclair... L'orage était maintenant au-dessus de la sonde... Winsgate fit défiler la bobine.

— Ceci est un enregistrement classique, vent puis détonations de la foudre tels que les transmetteurs nous les ont envoyés des centaines de fois... Maintenant, écoutez attentivement car je vais vous passer le même enregistrement piqué directement sur la bobine de céramique.

Il réenclencha le moteur... A nouveau, on entendit le bruit du sable qui frappait la coque puis, très loin, comme si cela parvenait assourdi par d'énormes épaisseurs de terre, un bruit sourd mais régulier, mécanique, celui d'une machine qui viendrait de se mettre en route...

Les trois humains restèrent longtemps immobiles comme s'ils voulaient se pénétrer de ce halètement qui ressemblait à la lente respiration d'un être gigantesque et malfaisant, dragon chimérique se terrant dans les entrailles du monde.

— Ce n'est pas un phénomène naturel, dit enfin Winsgate. Un tel bruit ne peut provenir que d'une machine conçue par une intelligence...

— Tu ne devrais pas affirmer ça... Il faut vérifier, être certain...

— J'ai vérifié... J'ai fait analyser le bruit par l'ordinateur et l'ordinateur est affirmatif... Ce bruit n'est pas naturel.

La jeune femme avait légèrement pâli. Elle regarda les deux hommes l'un après l'autre, leur demandant du regard une seule raison de ne pas fuir, de ne pas quitter cette planète sans attendre les résultats d'une nouvelle exploration automatique.

— Ce qui voudrait dire..., hasarda John sans pouvoir terminer sa phrase.

— ... Que nous sommes la première expédition terrestre qui se trouve en face d'un phénomène déclenché par une intelligence extérieure.

Le commandant resta à nouveau silencieux. Après tant d'années et tant d'expéditions qui ne lui avaient finalement apporté que l'amertume de n'explorer toujours que des mondes désertiques sans la moindre trace de vie, il se trouvait enfin face à quelque chose qui pouvait fournir la réponse à toutes ses questions.

Toutes les questions, sauf une, si petite, si misérable, si étriquée par rapport aux autres et qui, pourtant, ne le quittait jamais, sans doute enfouie dans les regards échangés par Winsgate et son épouse.

— As-tu pu localiser la source de ce bruit ?

— Avec précision... Toujours les mêmes coordonnées, ce qui prouverait que nous sommes devant une installation fixe.

Winsgate se pencha sur l'écran, pianota la recherche et l'ordinateur afficha : *546-nord par 76-ouest.*

— Toujours ce point !

John se tourna vers la jeune femme. Le point donné par l'ordinateur était celui sur lequel venait de s'écraser quelques instants auparavant l'éclair de dix mille mégawatts.

4

John et Winsgate se trouvaient à nouveau dans la jeep. La voiture électrique avançait sur la plaine en soulevant derrière elle un nuage, empreinte ridicule d'un bousier laissant sa trace sur le sable.

— Des insectes, voilà ce que nous sommes, de ridicules insectes qui cherchons à tout connaître, même ce qui nous est interdit.

Winsgate ne répondit pas, se contentant de jeter un coup d'œil vers son supérieur qui lui avait laissé les commandes, gêné sans doute encore par sa blessure qui, malgré la cicatrisation miracle, rendait plus sensible la paume de sa main.

— Nous serons à pied d'œuvre dans cinq minutes, annonça le transplanteur.

John caressa du bout des doigts la crosse de son arme. Pour la première fois depuis qu'il avait commencé ce métier d'explorateur, il ressentait une angoisse indistincte, presque de la répulsion à poursuivre cette quête de l'impossible, comme si leur démarche lui paraissait brusquement déplacée, presque obscène.

Son compagnon eut une moue.

— Nous aurions dû prévenir le vaisseau-mère, peut-être même directement le Centre, ne pas explorer cette zone avant que des ordinateurs plus puissants aient vérifié les données...

John regarda le transplanteur du coin de l'œil.

— C'est ta première expédition, je crois...

— Avec toi, oui... Mais j'avais participé à l'exploration du quatrième satellite de Jupiter.

— Simplement de l'entraînement... Alors, laisse-moi te dire que si les explorateurs avaient toujours attendu un feu vert donné par des bureaucrates enfermés dans leurs salles climatisées, les hommes en seraient toujours à tourner en rond dans le système solaire !

— Oui, mais...

— Il n'y a pas de « mais »... Tu penses bien que si nous nous trouvons enfin devant une machine ou n'importe quelle forme de mécanique conçue par une intelligence extérieure, je ne vais pas prévenir le Centre pour qu'ils envoient une équipe de spécialistes qui n'en sont pas, en fait des « bien en cour » qui recueilleront le succès de l'affaire.

Winsgate ne répondit pas... Un étrange malaise naissait en lui. A la fois malaise mais aussi suspicion pour son supérieur. Il se souvint de l'étrange attitude de John quand il avait voulu récupérer la bobine de porcelaine. S'il n'était pas intervenu, il l'aurait détruite, un geste aberrant pour le chef d'une mission *exploratoire*... Et maintenant, cette décision de se rendre sur les lieux sans en référer auparavant au Centre... La recherche de la gloire. Etre le premier homme à entrer en contact avec une intelligence extérieure ?

— Vous êtes à trois cents mètres du point zéro, dit la voix lointaine de la jeune femme... Envoyez une micro-sonde automatique pour vérifier la teneur du sol en volts induits.

— Micro-sonde larguée.

Propulsé par un lanceur pneumatique, l'engin s'éleva en l'air. Il décrivit un arc de cercle parfait avant de se ficher dans le sol, à un mètre seulement du point zéro. Les palpeurs recueillirent des informations qui furent transmises automatiquement à l'ordinateur de la navette.

Le diagnostic arriva presque instantanément.

« *Terrain non contaminé accessible aux humains sans protection particulière* »

Winsgate attendit l'ordre d'avancer que son supérieur semblait brusquement peu pressé de lui donner.

— On y va ? demanda-t-il enfin.

John eut un simple signe de tête, comme s'il se refusait à donner verbalement cet ordre ou qu'une force mystérieuse le retenait.

La jeep avança lentement comme un animal sauvage s'approche d'une proie qu'il n'a pas encore identifiée avec exactitude.

— Nous y sommes, John...

Le commandant parut sortir d'un songe, rêve ou hallucination. Il lui semblait qu'une voix intérieure lui donnait d'étranges instructions, à moins que ce ne fût son propre subconscient qui avait pris durant quelques instants la direction de l'expédition.

Il regarda tout d'abord le transplanteur qui avait quitté la voiture pour se diriger vers quelque chose que lui ne pouvait voir... Winsgate s'accroupit, puis il cria :

— John, viens voir.

Le commandant s'avança à son tour, arriva à la hauteur de Winsgate.

— Regarde, répéta ce dernier.

C'était une borne d'environ vingt centimètres de haut, large de dix au plus, une sorte de gros champignon qui luisait, sa surface paraissant composée de milliers de facettes sur lesquelles se réfléchissait la lumière des soleils.

John s'accroupit à moins d'un mètre de l'objet, hésitant à y poser sa main.

— Que penses-tu que ça puisse être? demanda-t-il au transplanteur.

— Un capteur d'énergie... C'est ici que viennent se briser les énormes masses électriques transportées par les orages.

— Dix mille mégawatts !

— Peut-être plus...

Winsgate leva la main pour imposer le silence à son supérieur. Les deux hommes restèrent immobiles... Le bruit montait du sol, un bruit sourd et régulier, celui d'une machine qui a atteint sa pleine puissance.

— C'est en dessous, murmura Winsgate... C'est juste en dessous de nous que les machines se sont mises en marche.

Le commandant se releva. Il regarda longuement autour de lui, ne découvrant à perte de vue que le sable ocre parsemé de cailloux et d'arbustes rabougris.

— Il doit quand même bien y avoir le moyen de pénétrer dans ce foutu machin !

Winsgate remua le sable du bout de sa botte, seulement du sable.

— Faudrait dégager cette borne, dit le commandant.

— Dangereux, John... On ne sait pas ce qui arriverait si on la touchait... Je pense qu'on devrait plutôt creuser un peu plus loin.

Le commandant resta un court instant sans

réagir puis il revint à la jeep, y déposa son casque et prit deux pelles courtes à manches de bois, des outils solides comme on en fabriquait bien avant que les vaisseaux terriens ne franchissent le sub-espace pour aller coloniser les galaxies.

— Tiens...

Il en jeta une au transplanteur qui la rattrapa au vol. Il s'éloigna alors d'une dizaine de mètres et déclara :

— On va creuser ici.

Winsgate s'avança vers son supérieur qui commençait à creuser à grandes pelletées.

— Nous devons prévenir Liv, dit-il... Elle peut s'inquiéter de ce brusque silence.

John leva les yeux vers le transplanteur. Il eut envie de lui demander pourquoi il se permettait d'appeler son épouse par son prénom, mais il réalisa l'absurdité de sa réflexion. Tout le monde s'appelait par son prénom ou par son grade. Il n'y avait pas d'autre manière de le faire... Alors, pourquoi cette réflexion venait-elle de lui traverser l'esprit ?

— Elle peut nous suivre aux caméras TV... Et puis, si tu y tiens, tu peux garder le contact-phonie.

Winsgate hésita avant de hocher plusieurs fois la tête. Et il commença lui aussi à creuser...

***

Les heures avaient passé.

Ils avaient ôté le haut de leurs combinaisons

pour avoir plus d'aisance dans leur travail. La sueur ruisselait maintenant sur leurs torses.

Ils avaient creusé un vaste entonnoir d'environ cinq mètres de diamètre, maintenant profond de trois, mais dont les bords s'effritaient. Une sorte de piège gigantesque comme en creusent certains insectes qui y attendent ensuite patiemment leurs proies.

Winsgate avait fait descendre le filin du treuil et il avait glissé la boîte de radio-commande dans l'une des poches de son pantalon de travail.

Il enfonça une fois de plus sa pelle dans le sable. Elle dérapa sur le sol brusquement aussi dur que l'acier...

— John !

Le commandant s'approcha, tomba à genoux, creusa à la main autour de la pelle, dégagea peu à peu une surface blanche, lisse comme du plastique...

... Ils collèrent leur oreille sur la surface qu'ils venaient de dégager, environ deux mètres carrés, et ils entendirent distinctement le ronflement régulier.

— Comme des moteurs électriques !

Winsgate prit un palpeur et le déposa sur la plaque de plastique puis il entra en contact avec la navette.

— Ici explorateur... Demande une analyse complète des bruits recueillis ainsi qu'une évaluation de l'épaisseur de la couche protectrice et du volume se trouvant sous cette couche...

— Demande enregistrée, répondit la jeune femme.

Les deux hommes s'étaient assis sur les bords friables de l'entonnoir. Ils reprenaient leur souffle et buvaient de longues rasades.

— Nous allons percer cette voûte, annonça le commandant. Ensuite, nous pénétrerons dans ce qui se trouve au-dessous.

— Peut-être dangereux...

— Il n'y a aucun danger, répondit calmement le commandant.

Les premières réponses de l'ordinateur arrivèrent moins d'un quart d'heure plus tard... « *Bruits de moteurs électriques, croûte artificielle offrant une résistance moyenne de trente millimuni* (ce qui équivalait à un blindage d'acier de cinquante centimètres), *recouvrant un volume d'au moins 500 000 m^3.*

— Nous n'avons pas dans la jeep de quoi percer une telle croûte, dit le commandant.

— Retournons à la navette, suggéra Winsgate.

Le commandant le regarda en souriant.

— Toi, tu y retournes et je t'attends ici... Dans une heure au plus, tu seras à nouveau à pied d'œuvre avec de quoi percer ce blindage.

— C'est pas évident que notre matériel soit assez puissant. Et puis, ça peut être dangereux, un orage brutal ou autre chose que nous ne connaissons pas encore.

— C'est un ordre que je te donne... Retourne à la navette chercher un laser assez puissant pour découper cette carapace et ramène aussi de quoi descendre dans la caverne qui doit se trouver au-dessous.

Winsgate n'insista pas. Il savait par expérience que le commandant ne revenait jamais sur un ordre donné... Et puis, il semblait vouloir rester seul... Winsgate s'accrocha alors au câble du treuil et il se fit hisser hors de l'entonnoir transformé maintenant en piège pour l'homme qui allait y demeurer, incapable de remonter les pentes friables sans les faire s'effondrer... Déjà, en se faisant tirer, Winsgate avait été projeté vers le fond du sable qui avait recouvert la carapace de plastique.

Le commandant en avait jusqu'aux chevilles.

— John, vaut mieux que tu rentres avec moi... Au moins, sors de ce trou...

— Je t'ai donné un ordre, répéta le commandant.

L'orage éclata alors que la jeep arrivait en vue de la navette. Un orage inattendu, encore plus violent que celui qu'ils avaient enduré depuis leur atterrissage sur Nausicaa.

Winsgate comprit alors qu'il ne reverrait jamais plus le commandant Artman vivant et il craignait les reproches de Liv lorsqu'elle le verrait rentrer seul. Mais elle lui dit simplement :

— J'ai pris contact avec le vaisseau-mère... Ils vont envoyer une équipe spécialisée dans la recherche en sous-sol.

EXTRAITS DE RAPPORTS SUR LA PREMIÈRE EXPLORATION DE NAUSICAA

NOTE DE SYNTHÈSES PRÉLIMINAIRE

Colonel-major Sumertime — à bord du Psy — vaisseau-mère de l'expédition.

La navette commandée par John Artman a touché le sol de la planète Nausicaa le 22 avril 2203, à 15 h 12 locales.

Après réception automatique des relevés météo-géologiques, nous avons capté deux heures après l'atterrissage un rapport du docteur Liv Artman, bio-médecin de l'expédition, rapport qui mettait en évidence d'étranges phénomènes.

Nous avons tout d'abord été intrigués par la guérison quasi miraculeuse d'une blessure à la main du commandant Artman. Je demandai alors au médecin-chef de l'expédition d'examiner au plus tôt cette affaire dans tous ses détails et, pour ce faire, de rejoindre l'équipe déjà en place sur Nausicaa. Cette mission ne put malheureusement être menée à bien car, entretemps, le commandant Artman avait disparu. Cet officier a en effet décidé d'aller observer sur place le point d'impact d'un éclair chargé d'une puissance de 10 000 mégawatts — mesure vérifiée par l'ordinateur du Centre auquel les transmetteurs automatiques l'avaient répercutée.

Le commandant Artman disparut au cours de cette observation et son corps ne fut pas retrouvé malgré les moyens de recherches considérables que nous avons déployés dans les heures et les jours suivants.

Une équipe mieux entraînée pour la recherche souterraine réussit à pénétrer le 25 avril 2203 dans une grotte artificielle d'environ 250 mètres de long sur 50 de large, haute sous voûte d'une trentaine de mètres en moyenne — mesures exactes figureront dans le rapport définitif.

Dans cette salle sont installés TROIS moteurs électriques d'une dimension peu commune, alimentés par une réserve d'énergie apparemment invisible, certainement régénérée par le captage des énormes forces orageuses en suspension dans l'atmosphère de la vallée Bertrand.

Le stockage de pareilles masses électriques paraît cependant douteux ou relevant d'une technologie très en avance sur la nôtre.

Une première étude sommaire des machines a révélé que ces dernières fournissent à leur tour une énergie qui ne sert strictement à rien. Elles tournent régulièrement, s'arrêtent et repartent selon des rythmes incohérents.

Le Centre doit envoyer une équipe spécialisée chargée d'étudier avec précision ces moteurs géants et tenter d'en déterminer l'usage et la provenance.

***

RAPPORT CONFIDENTIEL
Colonel-major Sumertime à général Weather, directeur du Centre
Copie unique classée aux archives SEC-XXX

En réponse à votre demande en date du 4 juin 2203

L'équipage de la navette exploratrice était composée du commandant John Artman, de son épouse Liv et de Donald Winsgate, transplanteur.

Durant le voyage d'approche du vaisseau-mère, certains officiers de bord ont remarqué les relations parfois équivoques qui semblaient de règle entre les trois membres de l'équipe d'exploration. Il n'était pas dans mes attributions d'intervenir dans ce genre de problème, les questions sexuelles ayant été réglées avant le départ par les psychologues du Centre. Après l'accident survenu sur Nausicaa, il faut quand même remarquer que le corps du commandant Artman n'a jamais été retrouvé malgré les recherches entreprises par les équipes spécialisées qui ont ensuite dégagé l'entrée de la salle des machines — l'entonnoir dans lequel Donald Winsgate avait laissé son supérieur hiérarchique pour retourner prendre du matériel à la navette avait disparu.

L'hypothèse admise par la Commission d'enquête constituée par mes soins a été celle d'une volatilisation. Le commandant Artman aurait été frappé de plein fouet par un éclair d'une puissance extraordinaire qui a entièrement consumé son corps en l'espace de quelques centièmes de seconde.

Certains officiers de bord n'ont pas été convaincus par les conclusions déposées par la Commission d'enquête. Ils ont même suggéré un assassinat du commandant Artman par son adjoint qui aurait ainsi supprimé l'obstacle existant entre lui-même et Liv, l'épouse de son supérieur.

Cette hypothèse expliquerait de manière rationnelle la disparition du corps de la victime mais elle ne repose bien entendu sur aucun témoignage ni preuve matérielle.

Il semble cependant assez peu probable que, de notre temps, un officier ait pu en arriver à de telles extrémités pour une simple question sexuelle.

Il serait certainement souhaitable que les conclusions formulées par la Commission d'enquête soient retenues comme définitives car je rappelle que l'on a proposé de donner le nom du commandant Artman à la salle des machines découverte dans la vallée Bertrand.

***

DÉCRET GALACTIQUE EN DATE DU 9 AOÛT 2203

Par décret exécutif, le C.G.H. — Conseil Général Humain — sur proposition du Ministre des colonies extérieures, baptise du nom de John ARTMAN la salle des machines découverte sous la vallée Bertrand, planète Nausicaa, septième du système VIII de Bételgeuse.

***

NOTE DE SERVICE en date du 10 octobre 2203

Commandement général des explorateurs spéciaux

à Madame veuve John Artman

Nous vous accusons réception de votre demande de mise en disponibilité pour une durée de deux ans afin de vous permettre d'élever l'enfant que vous devez mettre au monde à la fin de cette année.

Après étude de votre dossier médical — joint — nous sommes heureux d'y répondre favorablement.

Votre mise en disponibilité avec salaire réduit d'un tiers sera donc effective à compter de la réception de cette note. Cette réduction de revenus ne s'appliquera bien entendu pas à la pension de veuvage servie par la caisse d'entraide des explorateurs spatiaux.

Nous vous prions de bien vouloir nous tenir informés du lieu où un médecin du Centre pourra vous visiter afin d'ouvrir vos droits aux indemnités de nativité.

De plus, nous...

Le 18 janvier 2204, naquit à la maternité de Florence-VI un enfant de sexe féminin prénommé Léa, fille de Liv Artman et de John, son époux décédé.

***

CONCLUSIONS DU RAPPORT ÉTABLI PAR L'ÉQUIPE SPÉCIALISÉE DANS L'ÉTUDE DES PHÉNOMÈNES — Février 2205

Après que l'on eut aménagé un passage pour accéder à la salle Artman, nous nous sommes installés dans cette dernière pour une durée de six mois afin d'y effectuer une première étude du site et des machines qui y sont installées.

a) La Salle.

La salle a dû être creusée à ciel ouvert, bétonnée au sol et sur les quatre côtés avant d'être recouverte d'un toit artificiel d'un seul tenant, soit une plaque de 14 000 m^2 constituée d'une matière plastique épaisse de cinq centimètres, capable de supporter des pressions de 150 kilogrammes-force. Nous avons envoyé un échantillon de cette matière au laboratoire central de Centre.

b) Les Machines.

Chacune de ces trois machines est alimentée par une série de SIX câbles co-axiaux émergeant du sol. Nous avons pu débrancher l'une de ces machines pour la démonter et l'examiner en détail.

Nous sommes arrivés aux conclusions suivantes :

1 — Ces moteurs électriques géants, bien que certainement d'origine extra-humaine, sont conçus et construits selon une technologie semblable à la nôtre.

2 — Ces moteurs doivent être alimentés par de gigantesques réserves énergétiques se trouvant quelque part sous le plancher bétonné de la salle... Une équipe cherchera à localiser ces accumulateurs qui doivent être d'un type exceptionnel pour emmagasiner de telles charges énergétiques. Ces accumulateurs se rechargent certainement durant les orages dont la puissance électrique est attirée par les quatre bornes situées aux quatre angles de la salle. Ces bornes émergent automatiquement dans la vallée Bertrand lorsque les conditions météorologiques se dégradent.

3 — Ces moteurs électriques géants s'arrêtent et se remettent en route automatiquement selon un rythme apparemment dépourvu de logique.

Il faut aussi remarquer que nous n'avons pu

jusqu'à présent déterminer l'utilité de ces machines.

*
* *

CLASSIFICATION PROVISOIRE DE LA PLANÈTE NAUSICAA

Durant 10 années, et à compter de cette date, la planète Nausicaa est classée en colonie de classe-5, soumise à expertise complémentaire.

Une avant-base militaire sera créée à l'entrée de la vallée Bertrand.

Ses missions seront doubles :

— *Etudier la possibilité d'implantation d'une colonie terrienne sur cette planète.*

— *Etudier les trois machines découvertes dans la salle Artman et tenter d'en déterminer l'origine.*

15 juin 2204

L'ARCHÉOLOGUE
(juin 2208)

Le réveil se déclencha, un appel énervant, presque inaudible qui vrillait le cerveau, cassait les rêves craquelés alors en une multitude de fragments, comme les pièces d'un puzzle jeté en l'air ou les glaces d'un fleuve que l'étrave du navire défonce pour se frayer un chemin.

Durban essaya de se raccrocher aux morceaux éclatés du songe qu'il faisait depuis tant de jours, juste au moment de s'éveiller, mais dont jamais encore il n'avait pu se souvenir, garder des détails qui lui auraient permis de situer cette étrange impression... Chaque fois, on lui dérobait une partie de lui-même, quelque chose d'important bien qu'il ne puisse en discerner les contours.

Le réveil appela à nouveau, plus perçant, plus incisif en même temps qu'il donnait la lumière dans la pièce. Durban ouvrit les yeux, retrouva les formes familières, les objets dans l'étagère intégrée au mur de plastique, les gravures avec lesquelles il avait tenté de personnaliser son « coin », des reproductions de vieux monuments terriens, certains à demi détruits ou rongés de rouille, mais que lui aimait.

Le cadran lumineux s'alluma au-dessus de la porte.

« *Départ du chenillé dans 45 minutes.* »

Durban repoussa le drap et posa ses pieds sur le sol, une épaisse moquette tiède, douillette, dans laquelle il s'enfonçait légèrement. Il alla se planter devant la grande glace qui occupait le mur en face de la porte. Il s'y contempla quelques secondes... Sa silhouette n'était pas faite pour impressionner. Long, la cage thoracique étroite, les épaules basses, les jambes maigrelettes, blanches. Il regarda son sexe, presque à la dérobée, vermisseau pendouillant parmi des poils épars...

Il haussa les épaules. Pas besoin d'être un Apollon pour faire son métier. Lui était archéologue spatial, envoyé sur Nausicaa pour chercher les traces de ceux qui avaient construit la salle Artman et implanté les grandes machines inutiles. On aurait dû envoyer une mission plus importante, peut-être même des dizaines de chercheurs, mais la guerre économique avait éclaté avec les planètes d'Andromède-Sud et les crédits de recherches avaient été réduits.

Durban passa dans la cabine de douche, enclencha le chercheur qui palpa son corps au laser avant de choisir la température de l'eau qui l'éveillerait le plus facilement sans heurt biologique. Quelques minutes plus tard, ses muscles s'assouplirent, massés par les jets directionnels conduits par l'ordinateur domestique.

Le cadran lumineux s'alluma.

« *Massage sexuel désiré ?* »

Durban appuya sur la touche « NO ». L'eau s'arrêta et les flux d'air tiède le séchèrent.

Il quitta la cabine de douche, se retrouva dans la chambre étroite, module préfabriqué qu'on avait assemblé aux autres sous le dôme de l'avant-base ; deux cent cinquante chambres toutes semblables pour les deux cents permanents et les visiteurs qui venaient y séjourner quelques jours.

« *Attention,* rappela le cadran lumineux, *départ du chenillé dans 28 minutes...* »

Le temps de passer ses vêtements et de filer à la cafétéria avaler quelque chose en vitesse. Faithfull devait l'attendre. Lui n'était jamais en retard...

Durban enfila sa combinaison.

Le rêve... L'un des morceaux de glace rejaillit alors brusquement à la surface de la rivière. Le souvenir émergea, tourbillonnant lui aussi, une miette du rêve accrochée au réel... Une voix qu'il connaissait depuis son arrivée sur Nausicaa, une voix familière qui l'appelait dans ce rêve éclaté, mais c'était la première fois qu'il l'entendait après son réveil.

— *Durban... Durban... Durban...*

La voix ne faisait que répéter son nom comme

un de ces vieux disques dont les sillons sont tellement usés que la musique saute d'un mot sur l'autre, ou se raccroche indéfiniment à la même parole... Durban... Durban... Durban...

Il passa sa ceinture d'arme.

« Singeries, pensa-t-il, comme si les hommes devaient se défendre sur cette planète que l'on explorait depuis maintenant cinq ans sans jamais percevoir la moindre étincelle de vie animale. »

Mais il y avait les machines, les gigantesques moteurs électriques qui tournaient régulièrement, alimentés par quelque réserve enfouie dans les profondeurs de la planète.

***

Cinq ans que les techniciens, les savants et les experts du Centre venaient sur Nausicaa, descendaient dans la salle Artman, examinaient les trois moteurs aussi grands que des paquebots.

La première année, ils s'étaient contentés de les observer, d'en mesurer la puissance, les rythmes, de chercher d'où provenait l'énergie qui les faisait tourner, simplement ces câbles logés dans ces gaines qui s'enfonçaient dans le sol. Ils y avaient glissé une sonde que l'on avait fait descendre pendant trente-huit kilomètres. Maintenant, on en attendait une nouvelle, électronique, que les techniciens du Centre mettaient au point.

Alors, la seconde année, ils avaient démonté en partie une des machines après avoir réussi à la débrancher. Ce n'était qu'un moteur électrique géant comme ceux qu'on trouvait dans les installations terriennes. Le principe était le même, les éléments mécaniques semblables et les métaux dont on avait emporté des échantillons au Centre se révélèrent identiques, à quelques modifications moléculaires près... Des moteurs qui ne servaient à rien, qui tournaient en pompant leur énergie dans les entrailles de la planète et qui restituaient une puissance inutile.

La troisième année, on décida de brancher les installations de l'avant-base sur des générateurs alimentés par les moteurs qui tournaient dans la salle-cathédrale.

En fait un cycle naturel.

Mais personne n'avait encore trouvé le moindre indice permettant de situer les machines... Aucune inscription, aucune immatriculation, aucun signe, aucun cadran de contrôle puisque tout était automatique et semblait à jamais indéréglable.

Des missions avaient sillonné la planète en tous sens et les satellites d'observations l'avaient découpée en tranches que les ordinateurs avaient ensuite étudiées mètre par mètre. Le résultat était tombé, définitif, confirmant les observations humaines... *Rien ne vivait sur Nausicaa sinon les machines éternelles.*

Certains avaient alors émis l'hypothèse d'une civilisation disparue, engloutie à la suite d'un cataclysme naturel ou provoqué, peut-être par inadvertance.

« Ce n'est quand même pas possible... Ces

machines ne se sont pas construites toutes seules !

— Elles devaient bien servir à quelque chose... On n'a jamais vu quelqu'un construire des machines aussi gigantesques pour le seul plaisir de les voir fonctionner. »

L'un des plus célèbres experts du Centre avait même affirmé que, selon lui, ceux qui avaient construit et installé les machines s'étaient ensuite enfoncés dans les entrailles de Nausicaa pour y chercher refuge, sous-entendant qu'ils s'y trouvaient peut-être encore.

« Une guerre de type nucléo-biologique », avait-il précisé, mais on ne trouva trace ni de radiations ni de micro-organismes sur la surface.

« Ou alors cela s'est passé il y a plus de cent mille ans...

— Et les machines marcheraient encore, depuis tout ce temps ? »

... ...

« Vous voyez bien que l'hypothèse ne tient pas ! »

C'est alors qu'était arrivé l'archéologue.

***

Durban avait déjà travaillé sur de nombreuses planètes pour tâcher de reconstituer leur passé, mais il n'avait jamais rien trouvé d'autre que des animaux fossiles ou ce qui aurait pu être une trace de vie disparue, bien que cela n'en fût pas.

Il débarqua sur Nausicaa en février 2308, au début de la saison sèche sur l'hémisphère nord, quand les orages devenaient moins nombreux, moins violents.

Il fut accueilli réglementairement, mais sans chaleur excessive, par le colonel Stone, patron de l'avant-base. Lors de leur première entrevue, ce dernier lui fit plusieurs fois remarquer qu'il allait être le premier civil à demeurer plus de quarante-huit heures sur une colonie de classe 5 soumise à la seule autorité militaire. Durban acquiesça, ne pouvant qu'exhiber un ordre de mission en bonne et due forme paraphé par le général Wether, tout en réalisant que le manque de barrettes sur ses épaulettes allait certainement lui porter préjudice.

Comme il avait néanmoins rang d'officier, le colonel lui affecta un aide du nom de Faithfull, un engagé pas assez belliqueux pour faire carrière dans les troupes de choc et pas assez malin pour se faire un trou dans la paperasse... Le manœuvre à vie, heureux de l'être et content de lui.

On les logea en bout de base, pas tout à fait comme des pestiférés, plutôt comme des personnages de second rang, bien moins importants qu'un cuisinier, un mécanicien et, bien entendu, un officier de la maintenance.

« Laissons donc le civil jouer avec ses pelles à sable puisque le général Wether n'y voit pas d'inconvénient », prit coutume de plaisanter le patron de l'avant-base.

Durban avait, de son côté, l'habitude d'entendre ce genre de réflexions et il n'y prêtait même plus attention. Par contre, Faithfull ne supportait pas les plaisanteries de ses camarades qui allaient jusqu'à laisser entendre qu'il entretenait des rapports particuliers avec le « civil ». Malgré le caractère enjoué du soldat-manœuvre, cela se termina un soir en bagarre et depuis, on ne les moqua plus ouvertement.

On les ignora simplement...

Le chenillé les laissa au point 604-nord, non loin d'une sorte de tumulus qui n'était en fait que du sable amené par le vent, tassé et durci par les pluies d'orage.

Ils descendirent leur barda, deux sacs à dos emplis d'instruments qui paraissaient sortir d'un musée, petits marteaux, pinceaux de toutes tailles, pelles qui auraient dû se trouver dans le seau de plage d'un bambin.

Durban portait aussi un détecteur bio-métallique, un appareil sophistiqué qui, pour le moment, n'avait encore jamais réagi.

— Je repasse ici dans six heures...

Le pilote du chenillé leur fit un clin d'œil.

— Ne vous attardez pas trop et soyez à l'heure car je ne pourrais pas attendre !

Les techniciens qui se pressaient dans la cabine éclatèrent de rire. Eux ne répondirent pas. Durban attendit que le chenillé se soit éloigné pour charger son sac à dos.

— Les cons, murmura Faithfull... Les cons !

— Laisse.

Ils commencèrent à gravir la pente de la petite colline. Le sol était friable et un véhicule s'y serait certainement ensablé.

— Pourquoi nous acharnons-nous sur ce point ? demanda Faithfull.

Durban ne lui répondit pas. D'ailleurs, il n'avait pas de réponse valable à lui fournir. Ici, on ne trouvait pas de sites à prospecter, seulement du sable et de la terre calcinée qui se craquelait sous leurs pas.

Ils arrivèrent au sommet de la butte, découvrirent ce qu'ils appelaient leur « chantier ».

Pourquoi ici ?

Au centre de leurs fouilles, se trouvait le poteau que l'on avait enfoncé dans le sol pour marquer l'emplacement de l'une des quatre bornes qui captaient les orages, celle auprès de laquelle se trouvait John Artman quand il avait disparu.

A la saison sèche, la borne s'enfonçait dans le sol.

— Et vous croyez pouvoir retrouver un jour le cadavre desséché du commandant ?

— Je n'ai jamais dit ça...

Durban sourit.

— ... Mais si nous devons trouver la trace de ceux qui ont bâti la salle souterraine pour y implanter les machines, c'est ici que nous le ferons et pas ailleurs...

— Vous croyez vraiment que ces gens-là ont existé, monsieur ?

— Que veux-tu dire, Faithfull ?

Le jeune soldat eut un haussement d'épaules.

— Depuis le temps qu'on en parle !

Durban posa son sac. Il s'assit à côté, resta un

instant immobile, les mains posées sur ses genoux, à contempler la place où surgirait la borne de céramique quand éclaterait le premier orage, puis il leva instinctivement les yeux vers le ciel vierge de toute nuée. On était en saison sèche, celle où les orages s'accumulaient sur l'autre hémisphère. Ensuite, il faudrait arrêter les travaux pour d'évidentes raisons de sécurité.

Il n'y avait pas le moindre souffle de vent. L'air paraissait immobile, presque palpable.

Le jeune soldat posa lui aussi son sac et il s'installa à côté de Durban.

— Vous avez fait encore ce rêve, monsieur? demanda-t-il sans cesser de regarder devant lui.

— Comment le sais-tu ?

— Parce que ce rêve fait maintenant partie de vous-même, parce que si vous ne faisiez plus ce rêve, vous ne seriez plus monsieur Durban.

L'archéologue ne répondit toujours pas.

— Seulement, l'ennui, avec ce fameux rêve, monsieur, c'est que vous êtes incapable de vous en souvenir et un rêve dont on ne souvient pas ne sert à rien.

— C'est vrai...

Il hésita, poursuivit.

— Faithfull, sais-tu que ce matin, j'ai failli me souvenir? Quand j'ai ouvert les yeux, le rêve était encore en moi.

— Et alors, qu'est-ce que disait ce fameux rêve ?

Durban secoua la tête.

— Oublié... Pourtant, cette fois, j'étais presque certain de m'en souvenir.

Il sortit de son sac le plan des fouilles et le déplia sur le sol. Ils étaient partis de la borne et avaient progressé concentriquement, fouillant chaque décimètre carré, l'auscultant avec le détecteur sans rien découvrir que des pierres.

Parfois, Durban s'emportait, criait en faisant de grands gestes :

— Ceux qui ont construit ces foutues machines ont bien dû laisser tomber quelque chose, n'importe quoi, un outil, une boîte de conserve, une bouteille... N'importe quoi, bon Dieu !

— Qu'est-ce que ça nous apprendrait de plus si nous trouvions une boîte de conserve rouillée ?

Durban regardait le jeune soldat.

— Rien, ça nous apprendrait rien.

— Alors, que cherchez-vous vraiment, monsieur ?

Durban ne répondait pas.

Il prit son détecteur et se dirigea vers un autre point en suivant le schéma tracé sur son plan.

Le jeune soldat saisit une pelle et se leva à son tour pour se diriger vers la fouille. Il s'agenouilla à la place où il avait arrêté son travail la veille au soir.

— Je creuse encore ici, monsieur ?

— Oui, trente centimètres.

Assis en tailleur, Faithfull paraissait jouer comme un gosse, au milieu de cette plage gigantesque. Un peu plus loin, Durban avait coiffé le casque de son détecteur et il commençait à inspecter un nouveau secteur.

Les deux soleils se trouvaient à la verticale

quand il entendit l'écho pour la première fois... Un écho faible, à peine décrypté... *Biologique...*

— Faithfull, ici...

Le soldat se redressa puis il fonça vers Durban.

— Quelque chose, monsieur ?

— A un mètre trente-cinq.

— Je creuse ?

— Doucement, avec prudence...

Le jeune soldat arriva vite à la profondeur donnée par le détecteur. Durban se mit à genoux et continua lui-même à creuser avec ses mains, lentement, dégageant bientôt un crâne qu'il passa à son aide.

— Un cadavre ?

— Peut-être vieux de millions d'années...

Durban se redressa, reprit le détecteur, mais maintenant que le crâne avait été dégagé, il n'y avait plus d'écho... Alors, il ne tenait qu'une partie de réponse.

Il se retourna vers le jeune soldat qui lui tendit le crâne en disant :

— Et si c'était celui du commandant ?

Durban sourit sans répondre. Il prit un pinceau et commença à nettoyer sa trouvaille.

***

Il se tenait devant le colonel Stone, un homme solidement bâti aux nombreuses années de service derrière lui, blasé de tout, uniquement préoccupé par la bonne marche de l'avant-base qu'on lui avait confiée.

Durban avait cet air un peu gauche d'un lycéen qui vient d'être convoqué dans le bureau du directeur sans trop savoir ce que celui-ci va lui reprocher et qui se demande s'il n'aurait pas commis une faute sans même s'en être rendu compte.

— Asseyez-vous donc, mon cher Durban...

L'archéologue se posa sur un siège sans confort, comme tous ceux qu'on trouvait dans la base, hormis les quelques fauteuils réservés au club des officiers. Il y avait accès mais il n'aimait guère le fréquenter parce qu'il préférait travailler ou lire dans sa cabine. Et puis, il en avait quand même assez de supporter en souriant les mêmes plaisanteries éculées, parfois d'une indigence frisant la stupidité, mais qui faisaient rire à gorge déployée ceux qui buvaient de la bière à longueur de soirées.

— Mon cher Durban, ça va faire maintenant quatre mois que vous êtes parmi nous, annonça le colonel.

— Déjà...

Durban eut un petit sourire.

— Je n'avais pas vu le temps passer.

— Où en êtes-vous de vos travaux ?

— Nous n'avons prospecté qu'une toute petite partie du terrain, environ cinq cents mètres autour de la borne sud.

Le colonel sortit ses cigares, tendit la boîte à Durban qui refusa d'un geste.

— Moi, dit le colonel... Je n'arrive pas à comprendre... Quand même, ces foutues machines ont bien été construites par quelqu'un, transportées où elles se trouvent par quelqu'un et on a dû auparavant aménager la salle souterraine... Puis on les a montées, on les a branchées à ces accumulateurs géants que nous n'avons jamais trouvés... Il y a quand même bien des gars qui ont fait tout ça !

— Ce ne sont peut-être pas des hommes, enfin des hommes comme vous et moi.

— Qu'importe, nom de Dieu... On ne construit pas des machines comme celles-là sans laisser de traces.

Le colonel alluma son cigare, en tira de longues bouffées.

— Et vous, qu'en pensez-vous, Durban, je veux dire en tant que spécialiste ?

— Pas plus que vous... Je pourrais hasarder une hypothèse si j'avais pu recueillir quelque chose, n'importe quoi, par exemple un gant à trois doigts ou un outil à deux manches !

— Alors on ne saura jamais...

— Peut-être un jour ou peut-être jamais, comme vous le dites.

Le colonel retourna derrière son bureau. Il y prit un double de téléscripteur et le tendit à Durban.

— C'est votre ordre de retour... Vous devez rejoindre le Centre par la prochaine navette.

— Mais pourquoi ?

— Simplement parce que nous allons entrer en mauvaise saison et que vous ne pourrez plus farfouiller aux alentours des bornes avec des décharges électriques de plusieurs milliers de mégawatts... Déjà nous avons perdu un officier comme cela.

— John Artman.

— Exactement...

Le colonel regarda le bout incandescent de son cigare.

— Maintenant que vous allez nous quitter, Durban, je voudrais vous dire quelque chose.

— Je vous en prie...

— Ici, personne n'a jamais cru que vous étiez vraiment archéologue.

Durban ne put répondre, ni même protester, seulement arrondir ses lèvres mais sans prononcer la moindre parole. Finalement, il parvint à balbutier.

— Mais je ne comprends pas...

— Ici, nous pensons que vous êtes un flic... Oui, un flic venu fouiner parmi nous.

— Mais dans quel but ?

Le colonel eut un sourire.

— Voyons, Durban, tout le monde sait que, même dans le corps des officiers, le bruit a couru que le commandant Artman n'est pas mort dans un accident.

— Je ne comprends pas ce que vous dites ni où vous voulez en arriver.

— Ne faites donc pas l'âne pour avoir du son, Durban... On raconte que ce serait sa bonne femme et Winsgate, le transplanteur, qui auraient fait disparaître le commandant en mettant leur forfait sur le compte des orages...

L'archéologue ouvrait de grands yeux. Pour lui, il n'avait jamais existé qu'une seule version de cette affaire, celle que le Centre avait publiée après l'échec relatif de la première expédition. De toute manière, c'était le genre d'histoires qui ne l'avait jamais intéressé.

Il se redressa.

— Colonel, je ne vois toujours pas où vous voulez en venir.

— Simple, vous êtes un flic et votre mission était de retrouver le corps du commandant.

— C'est ridicule...

— Pas tellement, je crois.

Le colonel Stone téta son cigare sans cesser d'observer son interlocuteur.

— Seulement nous sommes un certain nombre à désirer que la mémoire du commandant Artman reste intacte... Alors, plus de flic pour venir fouiller dans nos affaires.

Durban sourit encore maladroitement, répéta simplement :

— Plus de flic dans VOS affaires.

Le colonel eut un signe de tête positif puis il sortit une fiche électromagnétique qu'il glissa dans un lecteur-enregistreur.

— Vous devez établir un digest du résultat de vos travaux pour les archives de l'avant-base. C'est le règlement...

Il eut un rire forcé.

— ... Ce sera vite fait puisque vous n'avez rien trouvé.

Durban prit le petit appareil, brancha le micro-processeur qui commença à poser ses questions sur le cadran de contrôle. Il répondit machinalement.

— *Résultats obtenus, matériel recueilli ?* demanda la machine.

Durban hésita... Depuis son retour à l'avant-base, il ne pensait qu'à cet instant, à cette revanche un peu puérile qui allait consister à inscrire sur la bande magnétique.

« Découverte d'une calotte crânienne que je situe à... »

Maintenant, depuis les dernières paroles du colonel, tout avait basculé dans son esprit et, à nouveau, il lui semblait se rapprocher de son rêve, de cette glace brisée qui tournoyait dans la rivière après s'être fissurée comme un miroir.

Il devait cacher sa découverte à cet officier obtus qui le prenait pour un policier retors. Ensuite, au Centre, il pourrait expliquer son attitude au général Wether et faire rectifier la bande magnétique.

— Résultat négatif, aucun matériel recueilli, inscrivit-il sur le cadran avant de rendre le petit appareil au colonel.

Ce dernier sourit. Il posa le lecteur-enregistreur sur son bureau et tira de longues bouffées de cigare.

— Ce soir, dit-il, ce sera votre dernière soirée sur Nausicaa et je serais heureux de vous avoir à ma table... C'est une sorte de tradition.

— Peut-être, répondit simplement Durban en quittant la pièce.

***

L'archéologue referma la porte de sa cabine. Il marcha de long en large, sur les trois mètres qui séparaient la porte de la cloison opposée, se remémorant sa discussion avec le patron de l'avant-base.

— Crétin ! murmura-t-il enfin.

Il prit son sac et le posa sur sa couchette. Maintenant, il allait pouvoir examiner calmement ce crâne, une très vieille pièce, quelques siècles, sans doute plus. Il en était certain et ses doigts en tremblaient d'émotion... La preuve que d'autres humanoïdes avaient vécu ici, dans la vallée Bertrand... Il se souvint de la réflexion de son aide, ce grand benêt de Faithfull.

« Et si c'était le crâne du commandant Artman ! »

Ignare, sympathique brute qui n'avait jamais vu plus loin que son tableau de service.

Ses doigts tâtonnèrent dans le sac. Il regarda, fouilla nerveusement, en vain. Le crâne avait disparu.

Il décrocha le combiné téléphonique mural, composa le numéro d'appel de la cabine de Faithfull.

— Venez immédiatement, lui dit-il simplement.

Le jeune soldat regardait le sac vide, les objets étalés sur la couchette. Il se tourna vers l'archéologue.

— Je ne comprends pas, monsieur.

— Le crâne... Il a disparu... Le crâne a disparu...

Le jeune soldat avait maintenant l'air affolé.

Il fixait Durban avec de l'inquiétude dans les yeux.

— Quel crâne, monsieur? demanda-t-il enfin.

Durban eut brusquement envie de se précipiter sur le soldat pour le forcer à se souvenir, à dire la vérité, à reconnaître la disparition du crâne, mais ses jambes étaient déjà écartelées par les glaces qui s'éloignaient à nouveau sur la rivière... A nouveau, il se retrouvait dans son rêve, l'espace de quelques secondes, et il sentit que c'était un dernier avertissement. Après, il n'y aurait plus de recours...

— Monsieur, vous vous sentez bien? demanda Faithfull.

— Ça va... Ça va mieux maintenant.

Il se passa la main sur le front, regarda son aide, esquissant un pauvre sourire.

— Sans doute un peu de fièvre... Il faisait froid aujourd'hui sur le site mais, maintenant, je vais me reposer.

— Bien, monsieur.

Faithfull se retira, à reculons, comme s'il hésitait à tourner le dos à l'archéologue, un homme qu'il ne reverrait certainement jamais, un civil un peu dingue qui aurait pu faire du tort à l'avant-base, surtout à ceux qui y vivaient, au corps des officiers par exemple... Le colonel le lui avait longuement démontré avant de lui expliquer ce qu'il attendait de lui.

« Tes camarades vont sans doute se moquer de toi, Faithfull, et ce sera dur, mais je m'en souviendrai quand je ferai le tableau d'avancement... »

Il sortit dans le couloir et tira la porte derrière lui.

« Cette brute doit avoir la conscience tranquille, bien plus à l'aise qu'il ne l'a peut-être jamais eue », pensa Durban en s'asseyant devant son bureau.

Durant quelques instants, tout à l'heure, dans ce désert ocre, il avait tenu entre ses mains une partie du passé de Nausicaa, peut-être de quoi ouvrir une petite fenêtre sur le mystère des machines qui tournaient toutes seules depuis des siècles ou même des millénaires et, pour une sordide histoire d'adultère qui n'existait peut-être que dans le cerveau d'un officier psychopathe, on allait replonger dans le néant... Les glaces se refermaient après le passage du navire et le fleuve se figerait à nouveau dans sa carapace bleutée.

Durban prit son carnet de route. Il l'ouvrit pour en relire la dernière page, celle qu'il avait écrite moins de deux heures auparavant, assis sur la pente de la colline. Il fallait qu'il se relise pour se convaincre maintenant lui-même qu'il n'avait quand même pas rêvé tout ça.

***

13 juin 2208
Arrivés sur le gisement à 11 (heure terrestre)
Avons poursuivi la prospection jusqu'à 13-42.

Cette fois, le détecteur m'a permis de mettre à jour un crâne en assez bon état de conservation.
A première vue, et avant toute vérification scientifique, je pense que ce crâne a pu appartenir à un humanoïde ayant vécu quelques siècles auparavant, sinon plus... Il faudra une datation plus précise qui ne peut être réalisée qu'en laboratoire.
Le soldat Faithfull, mon aide, a émis l'opinion que ce pourrait être le crâne du commandant Artman, chef de la première expédition, dont le corps n'a jamais été retrouvé. Sans entrer dans des détails scientifiques qu'il serait incapable de comprendre, j'ai quand même essayé de lui démontrer le contraire, en vain, j'ai bien peur...
Cependant, il est clair que ce crâne date au moins d'une centaine d'années et je peux dès à présent affirmer qu'il a appartenu à un enfant âgé tout au plus de quatre à cinq ans... L'étude en laboratoire de cette pièce permettra certainement une première approche de ceux qui ont implanté la salle Artman. La présence d'enfants pourrait constituer la preuve d'une civilisation indigène à la planète...

L'ACCIDENT

(février 2209)

Slim s'épongea encore une fois le front tout en regardant l'horizon. Il faisait salement chaud et, à perte de vue, pas le moindre buisson pour s'allonger la tête à l'ombre. Bien entendu, il aurait pu s'installer dans la cabine du glisseur et user ce qui restait encore de courant électrique à faire fonctionner la climatisation, mais il préférait garder en réserve ces bribes d'énergie pour le cas où les secours n'arriveraient pas avant la nuit. C'était un vieux réflexe humain, ridicule, complètement hors de propos car il n'y aurait pas plus de danger puisque rien ne vivait sur cette foutue planète. Il n'y avait sans doute jamais rien eu de vivant. Sinon, on l'aurait déjà trouvé depuis maintenant plus de six ans qu'on l'explorait de long en large, et même en profondeur...

C'était la première fois que Slim patrouillait au-delà de l'équateur, si loin de l'avant-base et, maintenant qu'il se retrouvait au sol, comme un scarabée incapable de reprendre son essor, il se sentait brusquement perdu, à des années-lumière des autres hommes...

Au fond de lui, sans vouloir se l'avouer, sans oser même y penser, il avait peur.

Slim regarda le ciel qui commençait à changer de teinte, devenant terre de sienne car de légers nuages voilaient les soleils. Lui n'avait jamais pu se faire à ces deux astres jumeaux qui réglaient le temps et les saisons de Nausicaa ; des taches de sang qui paraissaient parfois décomposer l'horizon.

Le moteur linéaire avait eu un raté, mettant immédiatement le glisseur en perte de vitesse. Slim le rattrapa en plongeant vers le sol. Durant presque une minute, il crut que c'était gagné car son appareil se stabilisa à deux cents pieds, mais des collines se dressèrent brusquement sur sa trajectoire, barrage surgi semblait-il des entrailles de la planète. Il essaya d'accélérer pour relancer le moteur, sauter l'obstacle... En vain, et la machine avait touché le sol, glissant à contre-pente, ce qui la freina et lui évita l'écrasement contre un roc.

Enfin elle s'immobilisa. *Le pilote était sauf.*

L'appel cliqueta.

Slim arrêta le « bip » qu'il avait glissé dans l'une des poches de sa combinaison de vol. Il se dirigea vers le glisseur écrasé à une vingtaine de mètres. Un oiseau aux ailes brisées. Il s'installa dans la cabine, rebrancha le contact-radio. La voix lui parvint, défaillante, lointaine. Il crut deviner un écran acoustique entre lui et l'avant-base. Même les ondes ne suivaient pas ici les règles ordinaires de la physique.

— Ici, avant-base One... J'appelle Explorateur-17...

— Explorateur-17, je vous reçois faible...

— Je grimpe huit en puissance d'émission. Me recevez-vous mieux maintenant ?

— Un de plus.

— Secours en route depuis six unités-temps... Actuellement localisés sur parallèle — 10... Arriveront à votre hauteur dans environ une heure.

— Noté.

— Branchez votre bouée sur la fréquence XX-87 afin de guider l'approche du glisseur de secours.

— Bouée branchée...

— Coupez le contact permanent pour éviter d'épuiser vos batteries.

Slim coupa le contact-radio. Il se sentait soulagé. Les autres seraient là avant la nuit.

Maintenant, son atterrissage forcé allait devenir une anecdote qui, durant au moins une semaine, alimenterait les conversations du cercle des officiers. Il allait devoir raconter une fois, dix fois, cent peut-être... Il ne se passait jamais rien sur Nausicaa, alors un accident !

Il eut brusquement faim.

Il se tourna, ouvrit le conservateur et prit une boîte de repas puis il quitta la cabine et retrouva la chaleur lourde.

Il alla s'installer sur le bord de l'aile gauche, les jambes pendantes, regardant l'horizon où le glisseur de secours devrait apparaître. Il ne le verrait certainement qu'au tout dernier moment, car il faisait face aux soleils...

Le ciel virait au brun, avec des reflets de flammes entre deux nuages. « Manquerait plus qu'un orage », pensa-t-il... L'équipe de secours était alors capable de faire demi-tour.

Et puis non... Il ne pouvait pas y avoir d'orage en cette saison. Il ne devait pas y en avoir !

Il ouvrit la boîte-repas, en sortit un sandwich au poulet-mayonnaise qu'il commença à mastiquer sans trop d'enthousiasme. La cuisine n'avait encore rien trouvé d'autre que ces sandwiches insipides pour garnir les boîtes-repas.

Il décapsula la bouteille de soda qui allait avec, en avala deux gorgées qu'il recracha... Dégueulasse... Il se leva avec lassitude et alla chercher une boîte de bière. Il en mettait toujours quelques-unes dans le conservateur avant de partir pour une patrouille dépassant dix heures. Ce n'était pas réglementaire mais tout le monde le faisait. Alors...

Il revint s'installer sur son aile et termina le sandwich en suivant du regard les nuages qui, arrivés à la verticale du glisseur, paraissaient s'attendre comme des oiseaux migrateurs qui se rassemblent pour accomplir leur périple.

Slim cracha, avala une gorgée de bière et prit la grosse grappe de raisin qu'on avait mise comme dessert. Il aimait le raisin, le noir surtout, avec de gros grains gorgés de sucre. Il lui semblait y retrouver les parfums terrestres.

Il goûta un grain... Pas mauvais. Sans doute arrivé par le dernier vaisseau ravitailleur.

Le vent.

Une bourrasque isolée, suivie d'une autre. Le sable se souleva. Slim ferma les yeux, se protégea le visage de la main. Le vent soufflait maintenant à un rythme soutenu qui s'amplifiait encore.

« Faut se mettre à l'abri », pensa-t-il en progressant difficilement vers la cabine. Aveuglé par le sable, il lâcha la grappe de raisin qui s'envola...

Au moment où il posait enfin la main sur le loquet d'ouverture de l'habitacle, le vent atteignit la force 30, soulevant le glisseur comme un fétu de paille, emportant aussi l'homme dans une spirale rouge qui grimpait vers le ciel... Puis, aussi brusquement qu'il s'était levé, le vent disparut... Le glisseur repiqua sur le sol, écrasant son pilote dans sa chute.

L'équipe de secours arriva sur les lieux environ deux heures plus tard.

Le sable soulevé par la trombe était retombé

sur le sol, laissant à nouveau le ciel ocre et pur, sans aucun nuage.

L'officier regarda le cadavre de Slim que l'on n'avait pas encore pu dégager.

— Sans doute a-t-il été éjecté au moment de l'impact et écrasé par le glisseur qui s'est alors retourné, dit le sergent.

— Comment peut-on être éjecté de l'habitacle d'un glisseur ?

Le sergent resta silencieux, regardant les hommes qui essayaient de placer un vérin électro-pneumatique sous le glisseur afin de pouvoir dégager le corps du pilote.

L'officier eut une grimace ennuyée et se parla à voix haute.

— Pourtant, il est entré en contact avec l'avant-base alors que nous étions déjà en vol... Donc, alors que l'accident avait déjà eu lieu !

Il y eut encore un long silence.

— Et la bouée automatique était branchée sur notre fréquence...

L'officier regarda le ciel puis il se tourna vers son subordonné.

— C'est impossible... Tout ça est impossible !

Il montra le cadavre.

— Il va peut-être falloir le découper en morceaux pour le sortir de là et vous pensez qu'il a pu aller à l'habitacle du glisseur pour converser avec l'avant-base et brancher ensuite sa bouée sur notre fréquence... C'est impossible, sergent, impossible...

Le sous-officier s'appelait N'Guyen Taï. C'était un vétéran habitué aux mondes nouveaux et cela faisait maintenant cinq ans qu'il servait sur l'avant-base de Nausicaa. Il ne répondit pas, se contentant de hausser les épaules en pensant que son jeune supérieur ne resterait pas longtemps éloigné des réalités humaines de la Terre.

LA PETITE FILLE ET LES ÉTOILES

(décembre 2215)

La température était douce sur Florence-VI. Il faisait toujours doux, même en décembre, le plus court des mois de l'année puisqu'il ne comptait que vingt-cinq jours.

La petite planète qui tournait autour de Véga était considérée comme l'un des coins paradisiaques du cosmos. C'est en partie pour cette raison que les forces spatiales y avaient installé leur maternité ainsi que des centres de repos où les équipages venaient retrouver santé et équilibre psychologique entre deux percées vers les confins de l'univers.

La nuit était dégagée. Des myriades d'étoiles parsemaient la voûte céleste, y dessinant par places des images lumineuses tant elles étaient serrées. L'air était presque tiède, seulement froissé par un léger courant qui apportait sur la véranda les senteurs des rosiers en buissons qui isolaient la pelouse de la maison voisine. Tout autour, on devinait des dizaines de bâtisses toutes semblables, construites en pierres du pays, avec de grandes baies vitrées qui s'ouvraient sur le golfe.

La résidence avait été réalisée au milieu même de la végétation ; petits paquets de quatre ou cinq habitations reliées entre elles par des allées interdites aux véhicules. C'était un endroit réservé aux couples et à leurs enfants. Les familles des équipages d'exploration venaient s'y reposer durant leurs vacances...

— Chérie, où es-tu ?

La petite fille disparaissait dans le vieux fauteuil à bascule. Elle en émergea en souriant.

— Ici, maman, sur la véranda...

Liv Artman poussa la porte grillagée qui protégeait l'intérieur contre les *phrasmes,* l'unique animal qu'on avait cru originaire de la planète, un insecte volant qui avait beaucoup fait parler de lui quand on l'avait découvert... La première créature animale à s'être développée hors de la Terre... Et puis on s'était aperçu que le *phrasme* n'était qu'un simple moustique dégénéré, sans doute arrivé dans une navette humaine, un insecte ni meilleur ni pire que ceux qui se multipliaient dans les mares de la vieille planète. Alors, certains avaient grillagé les ouvertures de leurs habitations tandis que d'autres préféraient installer des appareils bio-électriques compliqués pour éloigner le parasite.

Liv Artman retrouva sa fille sur la véranda. L'enfant regardait le ciel.

— Dans quelle étoile se trouve parrain Donald ?

— Une de celles-ci, une des plus lointaines...

— Celle des chats ?

— Oui, maintenant il vit dans la planète des chats.

***

La nouvelle avait éclaté quelques mois auparavant... Une mission *exploratoire* s'était posée sur une petite planète située aux confins de la spirale de Bételgeuse et elle y avait découvert une vie animale à sang chaud semblable à celle que connaissaient les Terriens.

La planète était en grande partie couverte de forêts, de savanes et de champs de céréales sauvages. Deux races paraissaient se partager cet univers, les rats qui rongeaient à longueur de temps et les chats qui mangeaient les rats. Au début, l'approche avait été longue et difficile car les membres de l'expédition pensaient que ces animaux, familiers sur la Terre, pouvaient représenter ici des espèces plus évoluées, peut-être même rivaliser d'intelligence avec l'homme.

On était vite revenu à une triste réalité.

Les rats n'étaient que des rats et les chats que des chats, de jolis rats et de jolis chats, mais uniquement cela. Les minuscules félins de cette planète avaient quand même la particularité de posséder tous la même robe, noire avec une unique étoile blanche sur le front, au-dessus des yeux qui étaient toujours d'un azur parfait.

Maintenant, on commençait à exporter ces fameux chats car ceux-ci s'étaient révélés être dotés d'un tempérament doux, très attachants et particulièrement appréciés des enfants.

***

— Viens, nous allons dîner maintenant, dit Liv à la petite fille.

Elles rentrèrent, passèrent dans la cuisine où la table était dressée. Le soir, elles mangeaient souvent une viande froide, parfois même une tranche de jambon avec de la salade et des fruits. D'ailleurs, presque tout le monde dînait ainsi sur Florence-VI. C'était une sorte d'habitude, presque un rite. En fait, les installations électriques n'étaient pas très puissantes et la gigantesque maternité de l'espace était alimentée en priorité, ne laissant au reste de la population qu'un strict minimum énergétique.

Elles mangèrent en silence, l'œil en coin posé sur l'écran où la station locale diffusait des émissions déjà vieilles de plusieurs semaines, parfois des mois.

— Parle-moi de papa, demanda brusquement la petite fille.

Surprise, Liv Artman resta la fourchette en l'air. C'était la première fois que la petite fille lui posait la question aussi clairement. D'ordinaire, de temps en temps, elle-même évoquait le souvenir de John, le commandant de la première expédition sur Nausicaa, et elle insistait toujours sur l'aspect glorieux de sa disparition.

« On a donné son nom à la grande découverte que l'homme a faite sur cette planète... C'est un grand honneur pour moi, et aussi pour toi, ma chérie, de savoir que très loin, un site de recherches aussi important porte le même nom que nous...

— On a donné notre nom parce que papa est mort ?

— Oui, ma chérie et parce qu'il était très courageux... »

La petite fille paraissait satisfaite, mais un jour, elle avait encore demandé :

« C'est parce que papa est mort que Donald est mon parrain ?

— Un peu... Enfin, tous les enfants ont un parrain car c'est lui qui remplace le papa lorsque celui-ci disparaît...

— Alors, pourquoi parrain Donald ne vit pas avec nous ? »

Liv avait hésité, surprise, déconcertée par la question à laquelle elle devait pourtant répondre.

« C'est son travail qui le retient au loin.

— Toutes ces années à travailler loin de nous, sans jamais venir se reposer comme les autres explorateurs ! »

Liv but une gorgée. Le soir, elle aimait bien un verre de vin.

— Parle-moi de papa, demanda à nouveau la petite fille.

— Que veux-tu que je te dise ?

— Comment il était et ce qu'il disait à propos des enfants.

— Il n'en avait jamais eu avant toi et... Il était déjà mort quand tu es née.

— Alors, il ne m'a jamais connue...

Liv eut un pâle sourire.

— Non, ma chérie, jamais.

— Et parrain Donald, est-ce qu'il me connaît, lui ?

— Non plus...

Elle eut un sourire pâle.

— Mais tu vas le voir bientôt.

— Quand ?

— Bientôt, je t'ai dit.

La petite fille parut réfléchir avant de demander en fronçant les sourcils.

— Et tu crois qu'il m'apportera un chat aux yeux bleus, comme il l'écrit dans sa dernière lettre ?

— S'il l'a promis...

Une semaine auparavant, Liv Artman avait été convoquée chez le médecin-chef Farson qui dirigeait, outre la maternité spatiale, les bases de repos de Florence-VI. En fait, il régnait sur la petite colonie environ vingt mille humains dont le quart à peine y vivait en permanence.

David Farson était un homme d'une cinquantaine d'années, toujours impeccable dans son uniforme blanc. Les insignes de son grade brillaient sur ses pattes d'épaules et il portait les deux barrettes commémoratives de ses voyages *exploratoires* dans la galaxie du Centaure. Il dirigeait Florence-VI depuis bientôt dix ans et on lui assurait un avenir des plus prometteurs car, deux fois déjà, il avait été proposé comme médecin-super-chef de la flotte d'exploration, l'une des plus hautes fonctions de sa spécialité. Sans doute la prochaine fois serait la bonne.

— Entrez donc, Liv...

Il affectionnait ces relations de fausse camaraderie, usant du prénom et demandant à ses subordonnés d'en faire autant. Enfin, à partir d'une certaine position hiérarchique. Aux autres, il donnait du Monsieur et du Madame, ce qui équivalait dans son esprit à une sorte de mépris.

Il savait aussi que Liv Artman portait un nom célèbre dans les forces spatiales et même au-delà du corps. Certes, elle n'y était pas pour grand-chose, mais le fait était là. Elle avait été l'épouse de cet officier disparu en explorant Nausicaa, l'une des planètes les plus mystérieuses de l'univers connu, la seule où l'on avait vraiment rencontré la trace d'une intelligence extérieure.

« Elle est encore aujourd'hui une belle femme, pensa-t-il. Dommage qu'elle ait les jambes un peu fortes... »

— Asseyez-vous donc, Liv.

Elle s'installa dans le fauteuil qui se trouvait en face du bureau. Le médecin-chef parut se plonger dans les documents qui se trouvaient devant lui, un peu comme s'il en prenait connaissance pour la première fois.

— Je regardais votre dossier, Liv...

Elle se contenta de sourire.

— ... Déjà douze ans que vous êtes parmi nous.

Le médecin-chef hocha la tête pour approuver sa propre déclaration.

— Vous souvenez-vous encore de vos débuts ?

— Très bien... Après mon accouchement, j'ai demandé à passer mon congé de maternité dans la base-arrière puis, comme l'ambiance m'y a plu et que je n'avais plus très envie de parcourir l'espace, j'ai postulé pour ce poste de surveillante bio-médicale de l'environnement immédiat de la colonie.

— Et vous l'avez obtenu.

— Facilement... Et vous, Donald, vous êtes arrivé environ deux ans après à Florence.

— Nous nous en sommes bien tirés tous les deux, chacun dans notre spécialité.

— Je crois...

— J'en suis certain, Liv... Le Centre pense beaucoup à vous pour de nouvelles fonctions plus en rapport avec vos capacités et cette nouvelle expérience que vous avez acquise ici. Dans peu de temps, je pense.

Elle avait compris que le médecin-chef ne l'avait pas convoquée pour la complimenter ou lui annoncer une promotion encore hypothétique, mais qu'il cherchait une entrée en matière. Et elle devinait confusément où il voulait arriver. Elle l'y aida.

— Nous allons ouvrir dans une semaine la nouvelle tranche de bungalows destinés aux célibataires de la flotte d'exploration qui manifesteraient le désir de passer leurs congés sur notre colonie.

Le médecin-chef eut un frémissement des paupières. Elle comprit qu'elle avait deviné juste.

— C'est aussi de cela que je voulais vous parler, dit-il d'une voix qui se cherchait un peu.

Il se racla la gorge.

— Pensez-vous vraiment que des célibataires, surtout des hommes, vont venir s'enterrer ici ?

— Pourquoi pas... Ils veulent avant tout du repos. Ensuite, rien ne les empêchera de terminer leurs congés dans des lieux plus affriolants.

David Farson se replongea dans les papiers qui encombraient son bureau. Il en tira cette fois une feuille dactylographiée qu'il compulsa avec attention, pour bien se convaincre qu'il n'allait commettre un impair.

— Vous avez raison, Liv... Déjà, pas mal de célibataires se sont inscrits. Je viens de recevoir la liste des premiers locataires, ceux qui arriveront dans une dizaine de jours.

Liv Artman eut envie de sourire. Elle ne s'était donc pas trompée et c'était bien pour cela qu'il l'avait convoquée. Elle décida de le précéder encore cette fois, s'amusant de ses hésitations.

— Donald Winsgate doit être sur la liste.

Il fit semblant de chercher puis il comprit qu'il adoptait une attitude ridicule.

— Oui, en effet, et...

— C'est pour m'en parler que vous avez désiré me voir ?

— Vous avez deviné juste, Liv.

Elle ne put s'empêcher de rire, de bon cœur. C'était plus fort qu'elle. L'attitude du médecin-chef, son air gêné...

— Voyons, David, cette histoire est maintenant loin derrière moi... Douze ans que nous débarquions sur Nausicaa, douze ans que je n'ai pas revu Donald Winsgate.

— Il est le parrain de votre petite fille, je crois ?

— C'est exact et Léa attend son arrivée avec impatience. Vous comprenez que, pour elle, il représente une sorte de passerelle entre l'image qu'elle s'est faite de son père et la réalité.

Le médecin-chef eut un sourire crispé.

— Je ne peux, bien entendu, pas vous interdire de recevoir le capitaine Winsgate, mais vous comprenez qu'il ne faudrait pas que cela entraîne...

— Des ragots... N'ayez aucune crainte pour la bonne réputation de la colonie, *monsieur* Farson.

Elle se leva, le regarda encore une fois en souriant puis elle quitta la pièce. « Dommage qu'elle ait les jambes un peu fortes... » pensa une fois de plus le médecin-chef.

***

Ce soir-là, comme toujours, le ciel était clair et les étoiles scintillaient. Liv Artman les regarda par la fenêtre, longtemps, avec une nostalgie qu'elle ne s'avouait pas.

Sans y prendre attention, elle passa ses mains aux doigts ouverts sur ses seins qui se gonflèrent. Souvent, le soir, elle ressentait cet appel charnel qu'elle s'efforçait d'effacer, de gommer à jamais de son existence. Depuis toutes ces années, elle n'avait eu que de brèves aventures, le plus souvent avec des hommes de passage, et ce soir... Elle sursauta, se reprit, et elle enfila la robe longue qu'elle avait posée sur le lit avant d'entrer dans la cabine de douche.

Elle se sentait les joues en feu et elle respira plus fortement.

— Maman...

Elle se retourna, sourit à la petite fille qui se tenait sur le pas de la porte.

— Maman, est-ce que je pourrais attendre parrain Donald avant d'aller me coucher ?

— C'est entendu, mais dès que tu l'auras vu, il faudra aller dormir car il est déjà très tard.

— J'irai dormir avec le chat aux yeux bleus.

La petite fille s'approcha de la fenêtre tandis que sa mère s'installait devant sa coiffeuse.

— La fusée de parrain, c'est l'étoile la plus brillante ?

— Celle qui se rapproche... Bientôt, dans deux heures au plus, elle aura atterri et nous le verrons arriver.

La petite fille hésitait. Enfin, elle vint se planter à côté de sa mère et elle resta immobile, la regardant se coiffer.

— Tu crois que parrain pourra me raconter papa ?

— Comment te raconter papa ?

— Tu m'as toujours dit que c'était son meilleur ami.

Liv Artman continua à peigner avec soin ses cheveux qu'elle portait longs depuis qu'elle avait décidé de vivre sur Florence-VI. Ici, tout ce qui pouvait rappeler la discipline des forces spatiales était oublié afin de créer une ambiance de repos hors du temps et, hormis le personnel affecté à la maternité, personne ne portait l'uniforme. D'ailleurs, les vacanciers passaient la plus grande partie de leur séjour à vivre nus sur les plages, se gorgeant de soleil après ces mois, ces années pour certains passés dans l'atmosphère artificielle de leurs cabines d'acier.

Le vidéophone sonna dans la pièce voisine.

— Va voir, demanda Liv à l'enfant qui se précipita.

Elle tendit l'oreille, entendit Léa converser avec quelqu'un qui lui était familier, finissant par dire : « Je vais chercher maman... »

— C'est David, dit-elle en revenant dans la chambre. Il veut te parler maintenant, tout de suite.

Liv Artman se leva, alla s'installer devant le vidéophone installé en face du gros fauteuil de velours noir.

— Liv...

Le médecin-chef hésitait et elle devina que son regard lui demandait si la petite fille était présente, hors du champ de la caméra incorporée, mais pouvant le voir sans être vue. Liv eut un simple mouvement de paupières, sourit pour qu'il comprenne que l'enfant était ailleurs, sans doute dans sa chambre où elle faisait la leçon à ses poupées.

— Liv, vous devez venir à mon bureau immédiatement.

— C'est grave ?

Il se contenta d'une grimace.

— Une voiture va passer vous prendre dans quelques minutes.

— Mais j'attendais...

— Vous serez de retour à temps, je vous le promets.

— C'est bon, David.

Liv coupa la communication. Elle se redressa un peu, appela la petite fille.

— Je vais te laisser un moment, ma chérie, le temps de faire un saut jusqu'au bureau de David, le travail...

— Mais si parrain arrive !

— Je serai de retour bien avant...

La petite fille prit des airs de grande.

— Alors je vais m'installer et attendre en regardant une bande-vidéo, celle que tu m'as apportée hier.

— C'est ça, et prends aussi une glace en cornet.

Liv repassa dans sa chambre, ôta sa robe longue et enfila un pantalon de toile et un sweat-shirt, puis elle sortit après avoir déposé un baiser sur la joue de sa fille.

Alors brusquement, et sans savoir pourquoi, elle se demanda si elle l'avait toujours bien aimée.

***

On sonna à la porte, plusieurs fois, avec insistance.

Tirée de son sommeil, la petite fille ouvrit les yeux, cligna des paupières pour se réhabituer à la lumière. Devant elle, l'écran mural était parsemé de bandes multicolores qui défilaient rapidement. Elle s'était endormie avant la fin de la bobine vidéo... Depuis combien de temps ?

On sonna à nouveau. Elle pensa que c'était sa mère qui était de retour, mais pourquoi sonnait-elle alors que la porte n'était pas fermée à clef... Personne ne verrouillait jamais sa porte sur Florence-VI.

La petite fille quitta le fauteuil et se dirigea vers l'entrée. Elle hésita avant d'ouvrir. Qui donc pouvait bien venir à une heure aussi tardive ?

Cette fois, comme elle était toute proche, le coup de sonnette la fit sursauter.

Elle tira le battant.

L'homme était de taille moyenne, très mince, et son visage buriné au teint cuivré, encadré par des cheveux argentés, jurait avec l'aspect presque juvénile de son corps. Il était vêtu d'une combinaison de vol noire aux insignes d'argent.

Il souriait.

— Toi, tu es Léa, dit-il à la petite fille.

— Je suis Léa Artman... Maman n'est pas à la maison, mais elle ne va sans doute pas tarder à rentrer et si vous voulez l'attendre...

— Mais c'est toi que je suis venu voir.

— Moi !

La petite fille fronça les sourcils, un peu inquiète quand même car jamais, jusqu'à présent, un adulte ne s'était déplacé pour elle. C'était toujours sa maman que les autres venaient voir et on la gratifiait au passage d'une caresse ou d'un baiser sur la joue avant de lui demander d'aller jouer dans sa chambre. Parfois, pour des événements un peu exceptionnels comme son anniversaire, il y avait une fête et les adultes faisaient semblant de s'intéresser à elle. Ça l'ennuyait car elle aurait préféré avoir des camarades de son âge, mais elle n'en avait jamais eu beaucoup, toujours différents, seulement les enfants des familles qui venaient passer leurs vacances et qui repartaient ensuite aux quatre coins de l'univers. Elle était la seule de son âge à vivre sur cette planète.

— Et toi, qui tu es ? demanda-t-elle à l'inconnu en combinaison de vol.

— Moi... Mais je croyais que tu m'avais reconnu... Donald Winsgate, je suis ton parrain.

La petite fille ne répondit pas. L'homme aux cheveux argentés sourit à nouveau.

— Tu ne fais pas entrer ton parrain ?

— Bien sûr, entre...

L'homme se baissa pour prendre une boîte de plastique blanc qu'il avait déposée dans un coin d'ombre. C'était un parallélépipède d'environ cinquante centimètres sur trente, muni d'une poignée de transport et dont l'une des faces était ornée de cadrans incrustés dans la masse.

— Allons-y, dit l'homme.

Ils entrèrent dans la maison.

Plantée au milieu de la pièce, la petite fille examinait cet inconnu qui se disait être son parrain. Elle l'avait imaginé autrement, plus jeune et plus grand, plus beau aussi bien qu'elle ne l'ait jamais vu, même en photo. Mais il était quand même là et il semblait être réellement venu pour elle. D'ailleurs, pour qui serait-il venu ?

Il ne pouvait quand même pas être le parrain d'autres enfants. Cela, elle ne l'admettrait jamais...

L'homme aussi se tenait gauchement et maintenant, sous la lumière vive, la petite fille remarqua que sa combinaison de vol était déchirée par endroits, avec des traces de brûlures. Il sourit et alla déposer la boîte de plastique sur une table basse puis il se planta devant le cadre accroché au mur, en face de l'entrée. La photo d'un homme en uniforme.

— C'est papa, dit la petite fille.

— Je le reconnais bien...

Il se retourna, s'assit sur ses talons pour se mettre à sa hauteur.

— Ton papa et moi étions des amis, tu sais ?

— Maman me l'a raconté... Elle m'a dit aussi qu'un parrain remplace le papa... Mais toi, tu étais toujours loin... (Elle eut une moue qui lui rappela sa mère.) Maintenant, tu vas rester avec nous ?

Une simple seconde d'infinie tristesse passa dans le regard du transplanteur.

— Avant, ce n'était pas possible, et il est trop tard maintenant.

La petite fille haussa un sourcil. Elle ne comprenait pas. Pour elle, le temps n'existait pas encore. Quand on voulait faire quelque chose, on devait le faire.

L'homme passa doucement le bout de ses doigts sur sa joue.

— Tu ressembles beaucoup à ta maman, chuchota-t-il, puis il se redressa et demanda d'un ton enjoué : « Tu ne regardes pas dans la boîte ? »

La petite fille hésita avant de s'approcher de la boîte de plastique. Elle remarqua.

— Elle est pleine de cadrans compliqués comme la cuisinière de maman.

— C'est pour surveiller, pour être certain qu'il va bien.

Elle leva des yeux incrédules vers l'homme.

— C'est aussi pour qu'il respire ?

— Aussi... Maintenant, tu peux lui ouvrir.

Elle se pencha pour chercher le bouton d'ouverture, dégagea le loquet de sécurité. L'une des faces du parallélépipède disparut et le chat aux yeux bleus sortit. Il s'étira longuement puis leva la tête pour humer l'odeur de ce lieu qu'il ne connaissait pas encore.

La petite fille n'osait pas bouger. Elle se retourna, lança un regard furtif vers l'homme qui la contemplait en souriant.

Le chat avança lentement vers elle pour se frotter contre sa main.

***

Le médecin-chef tendit le verre d'alcool à Liv Artman.

— C'est... C'est...

Et il renonça à trouver des mots, à exprimer même sa pensée.

— Voyons, Liv, c'est impossible !

Il s'énervait presque... *C'était impossible...* Trois heures auparavant, il avait fait venir la jeune femme pour lui annoncer la terrible nouvelle. Un accident stupide qui ne s'était plus produit depuis un siècle. Le bouclier thermique qui se détache au moment de l'entrée dans l'atmosphère, transformant la coque de la navette en un abominable cercueil incandescent. L'approche automatique, protégée par son blindage, avait résisté et l'appareil s'était posé, immédiatement arrosé d'azote liquide, mais lorsque les équipes de secours purent pénétrer à l'intérieur, elles ne découvrirent que des cadavres calcinés gisant au milieu du métal fondu... Trente victimes...

— C'est impossible, répéta le médecin-chef... Donald Winsgate est mort comme tous ceux qui étaient dans la navette. Il n'a donc pu venir ici en votre absence.

— Mais alors qui est venu ?

Elle avala une gorgée d'alcool, ce qui lui donna le feu aux joues.

— Ecoutez, David, vous avez vu Léa comme moi... Vous l'avez entendue raconter la venue de cet homme... Et puis, il y a ce chat aux yeux bleus, l'unique représentant de cette race sur notre planète.

Le médecin-chef se tourna vers le fauteuil dans lequel l'animal s'était installé, roulé en boule, la tête reposant sur ses pattes avant, les paupières mi-closes.

— Alors, comment expliquez-vous tout ça, Liv ?

— Je n'explique rien...

Elle termina l'alcool, sentit sa chaleur se répandre en elle. Maintenant, elle restait vraiment seule, sans même pouvoir espérer ce retour auquel elle ne croyait pourtant plus depuis longtemps, mais qui demeurait pourtant l'une des faces de son rêve... Elle se retrouvait seule, après toutes ces années, et elle pensa que cela devait être ainsi.

Elle se souvint des dernières lignes que John, son époux, avait écrites avant de rejoindre la navette qui devait les mener sur Nausicaa.

... *Alors l'homme aura achevé sa longue quête et son histoire ne sera plus que passé.*

Elle se leva et alla jusqu'à la fenêtre pour regarder le ciel. Nausicaa, la petite boule sur laquelle sa vie s'était arrêtée douze ans auparavant.

« Moi aussi, un jour, je devrais aller mourir sur ce monde ! »

En juin 2214, l'avant-poste militaire installé sur Nausicaa reçut l'ordre de se replier sur le Centre.

Il fut remplacé sur la planète par une mission scientifique qui s'installa dans les locaux abandonnés.

La raison de l'implantation de cette mission était uniquement l'étude approfondie des mystérieuses machines découvertes dans la salle Artman ainsi qu'une exploration aérienne de l'hémisphère sud qui avait été jusqu'à présent en partie délaissé.

Ce fut une tâche ingrate et routinière…

LA VENDANGE
(septembre 2219)

La première fois que le glisseur avait survolé la vallée et les collines qui l'enserraient, les deux hommes qui constituaient son équipage n'en avaient pas cru leurs yeux.

Les versants exposés aux rayons des soleils levants étaient couverts de vignes, non pas des ceps soigneusement alignés par un vigneron méticuleux, mais des vignes sauvages qui auraient poussé selon leur bon plaisir, formant une masse épaisse dont les feuilles commençaient à jaunir, découvrant de grosses grappes gorgées de soleil. Un raisin noir, épais et sombre, dont on devinait les grains juteux à souhait.

Le pilote avait rendu compte, la voix un peu exaltée, le souffle devenant court tandis qu'ils survolaient les hectares de vigne.

L'homme de veille au central-radio avait fait

appeler l'ingénieur responsable, lequel crut pouvoir diagnostiquer rapidement la cause de ce lyrisme peu commun.

— Steve, je te rappelle que le règlement général interdit de piloter en état d'ivresse... Tache de dessoûler avant de revenir ici sinon tu es bon pour un mois de mise à pied sans salaire, avec amende par-dessus le marché !

— Ça va...

Le pilote coupa le contact-radio et lança un coup d'œil vers son équipier qui souriait son acquiescement. Il posa ensuite le glisseur à la lisière de la vigne.

— On va lui apporter des échantillons.

Soucieux de respecter les consignes de sécurité, les deux hommes revêtirent des combinaisons protectrices avant d'aller cueillir des grappes de raisin qu'ils tassèrent dans les boîtes étanches destinées au laboratoire.

— Tant de précautions pour du raisin !

— T'es tout nouveau sur Nausicaa, fit remarquer le pilote à son équipier... Ici, rien n'est jamais semblable à ce qu'il devrait être.

Avant de remonter dans le glisseur, ils ôtèrent leurs combinaisons et les brûlèrent.

*
* *

Les chercheurs du laboratoire examinèrent soigneusement les grappes de raisin. Ils les éclairèrent aux infra-rouges, aux ultra-violets, sous des lumières rasantes, intérieurement grâce aux lasers thermiques.

Les chimistes prirent la suite et ils les réduisirent en bouillie pour recueillir leur jus. Après, ils l'analysèrent de cent manières différentes, le firent passer dans des centrifugeuses, dans des cuves à réaction, y ajoutant des acides, des révélateurs, des catalyseurs et toutes sortes de produits dont la teneur devait révéler le secret de cette vigne surprenante.

On envoya sur place d'autres équipes qui ramenèrent d'autres grappes et aussi des ceps que l'on disséqua pour en extraire le mystère.

Des centaines de tubes furent remplis de ce jus de raisin dans lequel on essaya alors de faire pousser des bactéries et des microbes... On attendit et, durant l'attente, d'autres chercheurs firent une enquête approfondie sur le site.

— J'ai recoupé les coordonnées de ces collines avec la trame des explorations militaires actuellement en mémoire centrale. Il semblerait qu'un glisseur s'y soit déjà posé il y a environ dix ans.

— Allez chercher N'Guyen... Lui était déjà à l'avant-base à cette époque. Peut-être se souviendra-t-il ?

Ils ramenèrent N'Guyen Taï, un homme d'entretien qui s'était fait démobiliser sur place quand l'armée avait quitté l'avant-poste. Lui s'était pris d'affection pour cette planète et il avait voulu y terminer ses jours. Comme il était encore valide et habile de ses mains, la mission scientifique l'avait embauché, trop heureuse de trouver quelqu'un qui connaissait déjà Nausicaa. Mais les jeunes ingénieurs avaient beaucoup appris dans leurs écoles et ils négligèrent son expérience.

N'Guyen s'en moquait puisqu'il pouvait vivre à l'endroit qu'il avait choisi, passer de longs moments à contempler les orages qui éclataient sur la vallée Bertrand et suivre les éclairs chargés de toute la puissance du monde.

On lui montra le point d'atterrissage sur la carte. Il sourit.

— Affirmatif, on s'est déjà posé dans cette vallée il y a dix ans... Je m'en souviens très bien car je faisais partie de l'équipe de sauvetage qui a retrouvé Slim.

— Qui est Slim ?

— Le pilote du glisseur qui s'était craché, une drôle d'histoire...

— Quelle histoire, N'Guyen, racontez-nous.

Le vieux soldat eut un simple haussement d'épaules.

— Les gars du centre de communications ont toujours affirmé avoir conversé avec Slim après l'accident ; or, quand nous sommes arrivés sur les lieux, ce pauvre vieux était écrasé sous son appareil... Sans doute éjecté lorsque le glisseur a percuté... C'était humainement pas possible qu'il ait pu prendre contact avec l'avant-base.

— Que voulez-vous dire, N'Guyen ?

— Ici, à Nausicaa, certains événements ne s'expliquent pas. Il faut les admettre ou renoncer à vivre sur ce monde.

Les jeunes ingénieurs se regardèrent en souriant et le patron du laboratoire eut une mimique.

— Toutes les conversations entre pilotes et base devaient être enregistrées sur bandes. Il doit y avoir des traces aux archives.

— Non, aucune trace... C'était le colonel Stone qui commandait et, dès notre retour, il a donné l'ordre de détruire ces documents.

— Mais pourquoi ?

— A l'époque, fallait tenir le moral des hommes...

Le professeur Schwantz qui dirigeait la mission scientifique était entré silencieusement dans la salle. Il intervint de sa voix calme.

— Faites rechercher dans les archives la composition des boîtes-repas distribuées à cette époque... Peut-être y trouverez-vous du raisin et cela expliquerait tout.

***

L'affaire des vignes glissa dans l'indifférence car, dans la salle Artman, les techniciens qui sondaient au laser la conduite contenant les énormes câbles d'alimentation atteignirent la cote – 76000...

Soixante-seize kilomètres sous la surface de la planète et, en haut, dans la salle, les deux machines tournaient toujours au même rythme, s'arrêtant parfois sans raison pour repartir plus tard, sans jamais d'à-coups... Ceux qui démontaient et remontaient la troisième machine n'avaient pas progressé en connaissance... Un moteur électrique géant... C'était tout.

— Bientôt les cent kilomètres... Où donc est cette foutue batterie !

Ce ne fut pas encore cette fois qu'on perça le mystère de Nausicaa. De toute manière, on était maintenant habitué à voir tourner les deux moteurs dont l'un était branché en permanence sur les installations électriques de la base.

Les pessimistes disaient que, dans les cinq ans à venir, peu à peu, les organismes d'études privés abandonneraient cette boule stérile à jamais désertée par les hommes de la Terre.

« Rien à faire ici, le sol est inculte et la moitié de l'année gâchée par ces orages sans fin. »

— Sur l'autre hémisphère, les orages sont moins nombreux, moins violents aussi...

— Le sol y est aussi aride qu'ici, alors ! »

Le professeur Schwantz regretta son emportement. Dans le fond, ce jeune ingénieur avait peut-être raison. Un hémisphère à orages et un hémisphère sans orages. N'était-ce pas la première ébauche d'explication de la salle Artman, une sorte de paratonnerre géant qui attirait les orages sur un seul des hémisphères, permettant à l'autre de jouir ainsi d'une météorologie plus clémente ? De toute manière, comme on venait de le rappeler, le sol y était pareillement désertique...

***

Le laboratoire rendit son verdict une semaine plus tard. Verdict définitif. Les raisins recueillis par l'équipage du glisseur étaient bien des raisins et le jus qu'on en avait tiré rien d'autre que du jus de raisin.

— Et du point de vue moléculaire ?

— Semblable à celui de tous les raisins de la Terre, monsieur.

Le responsable du laboratoire d'analyses sortit un petit broc de la machine à fermentation microbienne.

— Nous avons obtenu cela en écrasant d'autres grappes ramenées par une expédition que j'ai envoyée sur place.

— Alors ?

— C'est du vin, monsieur le professeur, certes un peu jeune malgré les effets de la fermentation accélérée mais du vin quand même !

Le professeur Schwantz se tourna et alla jusqu'au distributeur d'eau glacée. Il y prit un gobelet de carton et s'approcha du responsable.

— Puisque c'est inoffensif, faites-moi donc goûter ça...

L'autre versa trois doigts de liquide. Le professeur le huma avant d'en prendre une petite goulée qu'il fit tourner longuement dans sa bouche. Bien entendu, il ne la cracha pas, mais au contraire, l'avala lentement avant de déclarer :

— Il fait la « queue de paon ».

Les assistants le regardaient sans trop comprendre si leur patron se moquait d'eux ou était vraiment un œnologue distingué.

Il prit une autre gorgée et acheva son verdict.

— On le sent ardent et plein de sève... Il est long en bouche et il vieillira sans rides.

Tous applaudirent. Il les regarda en souriant.

— C'est la première fois qu'une vigne peut donner sa vendange ailleurs que sur notre bonne vieille Terre.

Il se tourna vers le responsable aux télécommunications.

— Prenez contact avec le Centre et demandez-leur de nous envoyer une équipe de vendangeurs.

— Des vendangeurs...

— Eh bien, oui... Alors que la Terre ne suffit plus à abreuver nos colonies éparpillées aux quatre coins de l'univers, on ne va pas laisser gâcher tout ce raisin !

LA COLONISATION
(avril 2220-août 2241)

C'est le 13 août 2241 que fut accordée la dernière licence d'exploitation d'une plantation de vigne située sur l'hémisphère sud de la planète Nausicaa.

En vingt ans, les hommes de la Terre avaient mis en valeur dix-huit millions d'hectares, uniquement plantés de vigne, ce qui avait amené sur la planète pas loin de vingt millions de colons ; vignerons mais aussi membres de professions dépendantes de cette culture. Et puis étaient venus les commerçants et les gens des services, ceux qui avaient construit des villages et des villes. Alors, il fallut créer une force de sécurité, faire venir des juges avant d'en former sur place, et ceux-ci entraînèrent à leur suite des avocats... Finalement, on en vint à contrôler l'émigration car seulement quelques vallées et coteaux situés dans la bande équatoriale étaient propices à la culture... Uniquement celle de la vigne, ce qui imposait de tout importer. Ce fut le triomphe du commerce et le point de départ de fortunes colossales.

***

Quelques explorateurs et les chercheurs des missions scientifiques occupaient toujours ce qui avait été l'avant-base à l'entrée de la vallée Bertrand. Certains essayaient encore de trouver le secret des machines et l'on avait atteint maintenant la cote – 124435 sans avoir pour autant trouvé un contact avec l'accumulateur à énergie... A la mauvaise saison, les gigantesques éclairs continuaient à être attirés par les quatre bornes situées aux quatre coins de la salle souterraine.

Sur l'autre hémisphère, les exploitations s'entassaient dans les vallées jugées bonnes pour la culture. Tous s'y côtoyaient, des immenses domaines appartenant aux grandes compagnies californiennes comme l'*American-Wine* ou la *Coca-mousse* jusqu'aux petits vignerons qui étaient arrivés des rives de la Méditerranée avec leurs propres ceps dans leurs bagages. La plupart avaient reçu une dizaine d'hectares généralement situés sur les mauvais versants. Pourtant, ils faisaient de bons vins et certains étaient devenus célèbres aux quatre coins de l'univers.

On citait Julien-le-Narbonnais dont le vin de pays avait acquis une renommée si prodigieuse que les meilleurs négociants le retenaient d'une année sur l'autre, le distribuant dans les boutiques de luxe de la vieille Terre. Il y avait aussi l'ordre des Frères Croyants qui avaient introduit sur Nausicaa les secrets de la champagnisation et dont les bouteilles se négociaient à prix d'or, et bien d'autres qui avaient retrouvé sur ce monde la richesse aujourd'hui perdue des terres épuisées de leur vieille planète.

***

Toute une vie industrielle se créa autour des cultures et de vastes usines de conditionnement avaient surgi sur les terres arides.

Les urbanistes tracèrent en 2229 les limites et les avenues d'une grande ville qui allait devenir la capitale de la planète. Les administrateurs et les fonctionnaires venus de la Terre s'y implantèrent pour organiser ce nouveau monde. On chercha longtemps un nom pour cette ville et il y eut même un concours doté d'un prix important. Des dizaines de milliers de réponses affluèrent et le jury hésita longtemps avant de couronner Lucien Petitpas qui avait proposé Sémélé-New-Town.

Trente siècles après sa première heure de gloire, la déesse de Thrace, épouse occasionnelle de Zeus et mère de Dionysos, prenait enfin sa revanche. Mais le nom était trop long et on prit l'habitude de dire Semtown... Seuls, les actes officiels continuèrent à le voir figurer en entier.

Et la petite boule qui tournait autour des deux soleils lointains perdus dans le système VIII de Bételgeuse devint le gigantesque chai par où transitaient les boissons de l'univers.

L'IVROGNE
(février 2244)

La fusée d'approche couleur d'argent descendait lentement, ses rétro-réacteurs crachant de longues flammes orangées qui se brisaient sur le sol, soulevant un nuage de sable aussi fin que de la poussière. Il n'y avait que du sable sur Nausicaa.

Dix fois, cent fois déjà, les ordinateurs avaient donné leur verdict après avoir analysé et comparé les données recueillies par les sondes automatiques qui avaient ausculté la planète.

On avait aussi envoyé de petits engins chenillés qui avaient parcouru en tous sens le site choisi pour l'atterrissage.

Et puis on s'était enfin décidé à envoyer l'nomme qui avait été choisi. Au début, celui-ci s'était souvent demandé pourquoi c'était lui que les ordinateurs du Centre avaient désigné à la place d'un de ces spécialistes parfaitement entraînés qui attendaient en piaffant d'impatience de s'envoler pour les mondes neufs qu'on proposait à leur voracité.

Il se nommait Jock Inglewood. Il avait trente-trois ans et, en vérité, il n'était pas nanti d'une constitution particulièrement solide. Au contraire, dans son jeune âge, il avait été souvent malade, n'échappant à aucune maladie infantile. Dès qu'une épidémie traînait dans la région, sa mère savait qu'il ne se passerait guère de jours avant qu'il ne soit atteint. Il eut même plusieurs fois la rougeole, ce qui constituait selon les spécialistes en pédiatrie un cas rarissime, et deux fois les oreillons, ce qui avait longtemps fait rire ses camarades d'adolescence, surtout les filles.

On était venu le chercher à la ferme, un matin, huit mois auparavant. Des hommes du Centre, des gens importants qui parlaient en employant des mots savants qu'il écoutait sans les comprendre.

— Moi... Mais voyons, c'est impossible que ce soit moi qu'on ait choisi !

L'homme qui paraissait diriger l'équipe eut un sourire encourageant. Il claqua ses doigts et l'un de ceux qui se tenaient en arrière s'approcha et lui tendit le dossier qu'il venait de tirer d'un porte-documents noir.

— Ceci est votre dossier... Il est complet et il n'y manque pas une seule pièce... Vous vous nommez bien Jock Inglewood, né le 30 mars 2208 à Cheetagoon, dans l'état de Washington ?

— C'est bien ça...

— Matricule social 1.03.08.675.7869.76XX.8970 ?

Il plissa les paupières pour essayer de se souvenir et se tourna finalement vers Gertrude, son épouse, qui avait mieux que lui la mémoire des chiffres.

Elle eut une moue positive, encourageante et il se redressa un peu pour répondre.

— C'est exactement mon matricule social.

— Vous êtes actuellement marié à Gertrude Hildemayer ici présente ?

— Sûr...

Il se tourna encore une fois vers son épouse, une solide paysanne qui avait rassemblé en elle les gènes de plusieurs générations de paysans germaniques émigrés en Amérique deux cents ans auparavant.

Elle lui sourit, avec cette fois de la fierté dans le regard. Jamais elle n'aurait pensé que son époux puisse être sélectionné par le Centre.

— Vigneron ? demanda celui qui commandait l'équipe.

— Oui et fier de l'être... Pour ça, oui, monsieur, fier de l'être...

L'homme du Centre eut une moue. Il feuilleta rapidement les autres pages du dossier, examina la photo un peu vieille, sans doute repiquée dans le press-book matrimonial constitué quand il avait fait sa demande d'autorisation de mariage.

— Pas de doute, conclut-il, c'est bien de vous

qu'il s'agit... Jock Inglewood, sélectionné par les ordinateurs du Centre pour être le premier homme à atterrir sur Nausicaa.

— Nausicaa, qu'est-ce que c'est ?

— Une planète du système de Bételgeuse, à dix mois de voyage en sub-espace.

L'épouse du vigneron s'approcha à son tour.

— Mais combien de temps vous allez me le prendre ?

— Difficile à prévoir... L'entraînement, le voyage, l'exploration proprement dite de la planète... Peut-être même la prise de contact avec ses habitants, s'ils existent !

— Et qui s'occupera de notre vigne ?

L'homme du Centre eut un sourire entendu.

— Bien entendu, vous recevrez l'aide d'une équipe spécialisée dans la culture de la vigne...

— Et de la vinification ?

— Et de la vinification.

Gertrude regarda son époux en se demandant si elle allait gagner au change. Troquer cet homme fragile qui passait une partie de l'année à cultiver sa vigne et l'autre moitié à en boire le produit contre la gloire et peut-être aussi la fortune... Elle aussi avait une légère tendance à forcer un peu sur la bouteille, mais elle travaillait avec acharnement, s'occupant du bétail ; dix vaches et une trentaine de chèvres qui fournissaient le lait nécessaire à la confection des fromages dont la vente leur apportait la presque totalité de leurs revenus.

Ils se contentaient heureusement de peu, des « bleus » et une robe de toile par an, quelques sous-vêtements et des bottes solides, des produits alimentaires comme du café, des haricots et, de temps en temps, de la farine pour le pain. Ils vivaient presque en autarcie, d'autant que leur principale production correspondait à leur principal besoin.

— Et si je refuse ? murmura le vigneron en fronçant le sourcil.

— Vous ne pouvez pas refuser, déclara l'homme du Centre. Et puis n'oubliez pas qu'il y a une prime d'engagement de dix mille dollars à laquelle s'ajoutera un traitement mensuel de cinq mille dollars...

— Tout cet argent...

— Versé régulièrement sur un compte bancaire. Et de plus, (l'homme du Centre hésita avant de poursuivre) nous devons tout envisager, lucidement, en responsables. En cas d'accident, disons..., définitif, votre veuve toucherait une prime de cent mille dollars et une pension.

— Nous acceptons, répondit l'épouse.

Et Jock signa son contrat. Il fut amené à la base arrière du Centre pour y subir l'entraînement adéquat. Enfin, six mois plus tard, le vaisseau-mère de l'expédition mettait en panne en limite de la zone d'attraction de Nausicaa. Il prit alors place dans la fusée d'approche argentée et, bientôt, il commença à descendre vers la surface du nouveau monde...

— Ici fusée-mère... Ici fusée-mère...

Après le choc de l'atterrissage, Jock reprenait conscience peu à peu. Il rebrancha la liaisonradio qui était restée muette durant l'entrée dans l'atmosphère.

— Ici bébé-One, atterrissage parfait au point indiqué.

— Restez tranquille, bébé-One. Nous vérifions les données biologiques avant de vous donner le feu vert pour débarquer... Buvez donc quelque chose en attendant.

Jock se tourna, prit la gourde qu'il avait préparée lui-même avant de prendre place dans la fusée d'approche. Un mélange parfaitement dosé, vin blanc légèrement frappé additionné de crème de cassis. Une vieille recette qui venait d'Europe et qu'on donnait pour avoir été mise au point par un curé... Cela n'était pas étonnant, les gens d'église ayant de tout temps été amateurs de boissons raffinées. D'ailleurs, certains grands crus ne portaient-ils pas le nom de monastères.

Il but à longues goulées, apprécia la fraîcheur du vin qui assouplit sa gorge crispée par la tension nerveuse. A vrai dire, malgré l'entraînement très poussé qu'il avait suivi durant ces derniers mois, Jock ne se sentait pas l'esprit d'un conquérant d'univers. Pourtant, les hautes autorités du Centre lui avaient souvent affirmé que les ordinateurs ne se trompaient jamais et qu'il était bien l'homme qui réunissait le meilleur profil pour cette mission.

— Fusée-mère à bébé-One... Toutes vérifications effectuées... Vous pouvez prendre contact avec l'extérieur. Suivez le plan d'exploration NZ45 et restez surtout en contact permanent.

— Bébé-One à fusée-mère... Bien reçu... J'attaque la procédure de sortie extérieure.

Jock brancha le contact-radio général sur son portable puis il dégagea le verrouillage de porte en envoyant l'air comprimé qui libérait les étanchéités. Un long sifflement puis une ouverture ronde apparut dans la coque, juste à l'opposé du tableau de bord.

Jock se leva, prit son fusil de chasse, la musette dans laquelle se trouvaient cinq sandwiches (deux au jambon d'York et trois aux œufs durs), un paquet de cartouches de 12 et une petite boîte de pansements autocollants ainsi qu'une bouteille de « désinfect-tout »... Il n'oublia ni sa gourde ni son portable qu'il fixa à sa ceinture, près du poignard à lames multiples.

L'air était presque frais.

Il s'élevait du sol une odeur qui ressemblait à celle de la terre mouillée, comme après un orage. Une odeur que lui aimait bien.

Jock fit quelques pas, mesurant de la sorte l'élasticité du sol recouvert d'une herbe rase, couleur feuille morte. Il saisit le portable.

— Ici bébé-One... Je suis sorti... Tout est O.K. et je vais grimper sur la butte pour tâcher de me repérer.

Il commença à gravir la pente qui n'était pas très raide, mais il soufflait tout de même. Malgré son entraînement, il ne s'était pas habitué aux exercices physiques. Chez lui, il avait son tracteur pour aller à la vigne et la vieille camionnette Ford s'il voulait se rendre à la ville voisine renouveler les provisions... Il s'arrêta à mi-pente, songeur. Avec la paye qu'il touchait maintenant, il pourrait s'acheter un véhicule neuf pour remplacer la camionnette qui n'en pouvait plus, surtout le moteur qui donnait l'impression d'exploser chaque fois qu'on oubliait trop le pied sur l'accélérateur.

Il arriva enfin au sommet de la butte. Il souffla puis sortit son paquet de cigarettes et en planta une entre ses lèvres. Avant, il les roulait lui-même parce que c'était moins cher et puis aussi parce qu'il aimait bien les rouler. Maintenant, comme tous les membres du Centre, il avait droit à une ration gratuite de cigarettes et il s'était surpris à apprécier ce luxe. Il sortit son briquet, un vieux *zippo* à essence, un modèle indestructible décoré d'une grappe de raisin sculptée dans la masse.

Il fumait en regardant l'horizon, d'autres collines certainement semblables à celle sur laquelle il venait de grimper. D'ailleurs, la planète entière était couverte de collines. Les ordinateurs l'avaient révélé après qu'ils eussent digéré et analysé les données recueillies par les engins chenillés.

Jock sentit brusquement une présence, quelque chose qui devait être derrière lui, en même temps que ce froissement d'ailes, comme un oiseau gigantesque se tenait là, prêt à lui fondre dessus. Il fit glisser la bretelle de son fusil le long de son bras droit, approcha sa main de la poignée-revolver.

Quand il se sentit prêt, il fit volte-face, l'index crispé sur la queue de détente.

Le char flottait à environ trois mètres du sol, soutenu par les deux chevaux ailés qui battaient des ailes pour prendre doucement contact avec le sol. Ils se posèrent enfin et replièrent leurs ailes comme de grands oiseaux.

— Jock...

Il ouvrit plus grands ses yeux en découvrant la jeune femme qui venait de sauter à terre. Elle avait un visage d'un ovale presque parfait, illuminé par son sourire et ses yeux clairs qui reflétaient le ciel d'azur. Il devinait son corps sous le vêtement de voile qui s'envolait en volutes ou que le vent plaquait.

— Qui es-tu ? lui demanda-t-il.

La jeune femme s'approcha et il lui sembla que ses pieds ne faisaient qu'effleurer le sol.

— Je suis Nausicaa, répondit-elle.

Il resta sans voix.

C'était idiot comme réponse, comme si quelqu'un pouvait s'appeler Terre, ou Mars ou Lune... On ne pouvait quand même pas avoir le même nom que le monde sur lequel on vivait. C'était ce qui le choquait, qu'il trouvait impossible, bizarre, bien plus bizarre que le fait de se trouver en face de cette jeune femme, sur une planète réputée déserte et inhabitée, bien plus bizarre aussi que ce char volant tiré par des chevaux ailés.

— Je suis venue à ta rencontre, dit alors la jeune femme.

— A ma rencontre...

— Pour te conduire au palais où les autres t'attendent.

Jock se sentait à la fois heureux et mal à l'aise. Il ne pouvait quand même pas suivre cette apparition sans en avertir la fusée-mère. Cela allait d'ailleurs faire du bruit lorsqu'on apprendrait que la planète était peuplée d'humanoïdes apparemment semblables aux hommes de la Terre et que leur ambassadrice se déplaçait dans un char volant.

Il brancha son portable, chercha la fréquence, n'accrocha que des parasites. Les communications-radio paraissaient coupées.

— Viens, répéta-t-elle, ne faisons pas attendre mon peuple.

Elle s'approcha encore, lui tendit la main. Il sentit ses doigts sur sa propre main, celle qui se crispait encore un peu sur la crosse du fusil.

— Viens...

Il la suivit jusqu'au char, y grimpa, à moins que ce ne soit un double de lui-même, un homme qui lui ressemblait et que lui regardait.

— Installe-toi, Jock.

A nouveau, la main de la jeune femme l'effleura et il sut qu'il ne rêvait pas.

Il s'assit sur la banquette couverte de fourrures. La jeune femme prit les rênes en chantonnant un air étrange, une sorte de mélopée qui paraissait venir du ciel. Les deux chevaux commencèrent à battre des ailes, soulevant le char qui glissa sans bruit, prenant lentement de l'altitude.

Jock se pencha. Il regarda le sol qui perdait

l'aspect qu'on lui trouvait quand on était rivé à sa surface. Les vallées devenaient vertes, couvertes de prairies semblables à celles de la Terre et des arbres jusqu'alors invisibles suivaient le fil de la rivière. Il chercha à surprendre une vie animale. En vain...

— Le chemin ne sera pas long, dit la jeune femme.

Il aurait voulu lui demander « le chemin pour où ? » mais il n'osa pas poser la question comme s'il avait jugé déplacé de le faire.

Enfin, après avoir sauté trois barrières successives de collines, il découvrit la ville, toute proche, qui jaillit à leur rencontre.

Les bâtiments de cristal étaient restés invisibles jusqu'au dernier instant. Maintenant, ils survolaient déjà les remparts et les premières demeures serrées frileusement les unes contre les autres, puis les tours, les clochetons de lumière et les toits bombés du palais.

— Regarde, le peuple entier est sur la place, lui souffla la jeune femme avec une bouffée de fierté dans la voix... Ils t'attendent.

Le char volant se stabilisa au-dessus de la place et Jock découvrit la foule. Ce n'était pas les mêmes qui, sur la vieille Terre, se pressaient aux appels des prophètes fous ou des dictateurs mégalomanes, simplement quelques centaines de personnes qui attendaient en silence sur les marches du parvis.

— Le roi, mon père, est avec ses conseillers et ses gardes. Nous allons descendre.

Elle chantonna encore une fois ses ordres et

les chevaux ailés battirent plus lourdement des ailes, faisant glisser le char vers l'esplanade. Quand ils ne la survolèrent plus que d'une vingtaine de mètres, Jock discerna les cris de joie qui montaient de la foule. Il découvrit aussi les bras tendus vers le char... Il se sentit à nouveau mal à l'aise et il prit sa gourde pour boire de grandes rasades.

— Tu avais soif? lui demanda la jeune femme.

— L'émotion sans doute.

— C'est la première fois que tu rencontres un peuple qui ne vient pas du même monde que toi?

— Sûr et d'ailleurs, jamais un seul homme de la Terre n'a rencontré une créature vivante qui lui ressemblait sur ces bon Dieu de planètes!

La jeune femme se contenta de sourire.

Le char toucha le sol et les deux chevaux replièrent leurs ailes dans un froissement de soie.

La foule s'avança et Jock remarqua que beaucoup ressemblaient à des humains que lui connaissait. Certains se ressemblaient même entre eux et il trouva le visage de son épouse flottant sur plusieurs de ces femmes aux formes lourdes.

— Merci, mes amis, dit alors Nausicaa... Merci encore pour votre accueil...

Elle sourit.

— ... Vous le verrez, je vous le promets... Toutes et tous, plus tard, vous le verrez et vous pourrez le toucher.

La jeune femme l'entraîna vers le groupe d'hommes plus âgés qui se tenaient devant le palais de cristal.

— Père, dit-elle en s'adressant à celui qui portait une barbe blanche étrangement tressée en petite nattes... Père, voici l'homme de la Terre que tu m'as envoyée chercher.

— Merci de l'avoir ramené parmi nous, Nausicaa.

Jock avait remis son arme à la bretelle, mais il se tenait prêt à la brandir à nouveau bien qu'il ne fût plus tellement convaincu de son efficacité.

— Approche-toi, lui ordonna le vieil homme. Approche-toi sans crainte.

Jock cherchait à se souvenir où il avait déjà vu ce visage. Cette ressemblance !

Il avança et, quand il ne fut plus qu'à deux mètres du vieil homme, il eut envie de crier : « Ote donc ce masque ! »

Le vieil homme se tourna vers ceux qui l'entouraient pour se saisir du parchemin roulé qu'on lui tendait. Il hocha ensuite plusieurs fois la tête et tendit le rouleau à Jock. Sans doute un brevet comme on en donnait aux étrangers célèbres dans les universités terriennes.

— Je vous remercie, balbutia-t-il.

Le vieil homme se renfrogna, contrarié semblait-il par les paroles de son hôte.

— Maintenant que je viens d'abdiquer en ta faveur, Jock, tu n'as plus à remercier, tu n'as plus à demander, à expliquer tes pensées et tes actes... Maintenant, tu ne peux que commander.

— Mais commander à qui ?

— A ton peuple qui vient de se rassembler pour t'accueillir.

Jock se retourna, face aux quelques centaines de formes vagues qui formaient maintenant un demi-cercle autour du petit groupe. Quelques gardes s'avancèrent pour les empêcher d'avancer plus, mais sans trop de conviction.

— Tu dois être fatigué, dit le vieil homme à la barbe tressée, aussi les gardes vont te conduire dans tes appartements où tu pourras reposer.

Deux gardes s'approchèrent de Jock qui remarqua les éclats de cristal que ceux-ci tenaient en main. Peut-être des armes dont il ignorait la puissance... Il valait mieux jouer le jeu, quitte à contacter plus tard la fusée-mère pour demander des renforts.

Quand il pénétra dans le palais à la suite des deux gardes, des cris de joie s'élevèrent derrière lui. Il se tourna, regarda encore une fois la foule qui l'acclamait et il découvrit les larmes qui roulaient sur les joues du vieil homme.

Il regarda sa gourde, la prit et la remua en la portant près de son oreille... Vide... Pourtant, il avait encore soif. Alors puisque maintenant il était le roi de cette planète, il n'avait qu'à appeler pour demander du vin frais et du meilleur. Les puissants ne boivent-ils pas que ce qui se fait de mieux...

Il appela, longtemps, sans obtenir de réponse, et il sortit du somptueux appartement, hésitant quand même à s'engager dans les couloirs qui paraissaient former un labyrinthe... Les autres croyaient qu'il se reposait de son long voyage... Il prit son portable et essaya une fois de plus d'accrocher le contact avec la fusée-mère, mais les ondes radio n'étaient toujours qu'un fatras de sons discordants et de parasites.

Hériter d'un royaume grand comme une planète !

Sans doute s'était-il assoupi quelques instants ou quelques heures...

— Jock.

Il ouvrit les yeux, retrouva la jeune femme qui s'avançait vers lui.

— T'es-tu bien reposé, Jock ?

Il répondit d'un sourire.

— Viens, Jock, j'ai apporté de quoi te restaurer.

Il se dressa sur un coude, découvrit le plateau chargé de victuailles. Il remarqua les deux carafes.

— Verse-moi à boire, ordonna-t-il.

La jeune femme obéit. Elle emplit un verre de cristal d'un liquide qui avait un peu l'aspect du vin, s'approcha ensuite des coussins sur lesquels Jock était étendu.

— Tu aimeras, lui affirma-t-elle.

Il prit le verre, y porta les lèvres, avala une première gorgée. C'était frais... Le goût d'un vin bien frais qui lui redonna envie de vivre.

Il sourit, se leva et alla jusqu'au plateau pour y choisir une cuisse de poulet rôti, tendre et juteuse comme il les aimait.

— J'avais faim... C'est bon, bien meilleur que leurs sandwiches !

La jeune femme le regardait avec attendrissement. Quand il eut mangé la moitié du poulet, vidé l'une des carafes et allumé un cigare, elle avança lentement sa main vers l'agrafe qui retenait sa tunique... Le vêtement glissa à ses pieds et Jock sentit à nouveau sa gorge se nouer. Il n'avait encore jamais vu une femme aussi belle que celle-ci, sinon dans les magazines un peu lestes qu'il achetait parfois à la ville et qu'il feuilletait lorsqu'il se retrouvait seul sur son tracteur, loin de la ferme, loin de Gertrude.

— Je te plais ? lui demanda-t-elle.

Il ne put répondre que d'un signe de tête.

— Maintenant, toi aussi déshabille-toi et nous pourrons faire l'amour.

Brusquement, il ressentit à nouveau ce pressentiment. Tout ça n'était pas possible. Il n'y avait pas de vie sur cette planète, seulement ces collines rouges balayées par les vents de sable. Tout ça n'était qu'une illusion, un piège monstrueux.

Il se leva et prit le fusil qu'il avait posé à côté de lui avant de s'endormir.

— Pourquoi m'avoir choisi pour roi, pourquoi m'avoir donné cette planète ?

La jeune femme parut consternée.

— Mais simplement parce que tu es Jock et que moi, je suis Nausicaa, la terre que tu dois maintenant féconder.

Il pointa son arme sur les colonnes de cristal qui entouraient l'une des fenêtres et il appuya sur la détente. Les colonnes éclatèrent en mille pierres précieuses qui accrochèrent des bribes de lumière.

Alors, il vida le chargeur, pris d'une frénésie de destruction, jouissant presque à la vue des objets précieux et rares qui se brisaient sous les impacts. Machinalement, il replaça un autre chargeur en hurlant :

— Pourquoi me donner ce que je ne veux pas ?

La jeune femme restait immobile, le regardant avec des yeux fous qui n'avaient encore jamais rencontré la destruction ou la mort violente.

Elle voulut parler, l'implorer.

Leurs regards ne se croisèrent qu'une fraction de seconde, juste avant qu'il n'appuie une dernière fois sur la détente. Nausicaa disparut à son tour, éparpillée comme les grains de couleur d'un kaléidoscope...

Alors, la ville de cristal tout entière se brisa, s'effondrant par pans entiers comme des châteaux de cartes, balayés immédiatement par le vent du soir qui s'était levé, emportant le sable ocre qui voilait maintenant les soleils.

La voiture de police s'arrêta souplement sur le bas-côté de la route.

L'un des hommes de patrouille braqua le projecteur orientable sur la forme étendue près de la croix de pierre, une tombe comme on en trouvait souvent en pleine campagne.

— C'est Jock, dit le chef de patrouille.

— Jock ?

Le policier qui tenait le projecteur orientable était une jeune recrue, sans doute à peine sortie des cours de formation accélérée. Peut-être était-ce sa première patrouille ?

— Jock Inglewood, l'ivrogne...

Le chef de patrouille quitta la voiture pour s'approcher de la forme étendue.

— S'arrange pas, le Jock, depuis que sa Gertrude est morte au début de l'hiver... Maintenant, il ne dessoûle même plus.

Le jeune flic s'approcha à son tour. Il considéra, le sourire aux lèvres, l'ivrogne qui dormait, couché en chien de fusil.

— Qui c'est au juste, ce mec ?

— Inglewood, un vigneron de la première vague, arrivé il y a vingt ans et heureux d'avoir reçu cinq hectares de bonne terre à vigne... Mais c'était surtout sa bonne femme qui faisait marcher la baraque. Lui, on n'aurait jamais cru qu'il était vigneron, plutôt un de ces citadins qui ont voulu jouer au retour à la terre... La tête pas tellement sur les épaules, avec des histoires qu'il se racontait lui-même, un peu bargeot, quoi !

L'ivrogne se mit en boule, sans même s'éveiller, pour mieux se protéger du froid qui tombait.

— Complètement imbibé... Maintenant, depuis un ou deux mois, il a une nouvelle lubie. Quand il est complètement saoul, il raconte l'histoire de la planète, de ceux qui l'auraient habitée avant qu'on arrive et il mélange tout... Il fait même de sa Gertrude la dernière princesse de Nausicaa.

Le jeune flic sourit, demanda :

— Qu'est-ce qu'on en fait ?

— Comme d'habitude, on l'embarque au poste pour qu'il puisse dormir au chaud...

LE RETOUR AU PAYS

(octobre 2245)

1

Les longues limousines noires avançaient lentement en cortège vers l'aire d'atterrissage où l'énorme navette venait de se poser en douceur moins d'une heure après avoir quitté le vaisseau-mère qui avait déjà cinglé vers d'autres colonies terriennes. Dans une semaine, un autre vaisseau-mère, en route vers la vieille Terre, se mettrait en panne à la limite de la zone d'attraction pour y attendre le retour de la navette.

Un peu plus loin, à l'écart, sur l'astrodrome « marchandises », trois énormes fusées s'étaient posées le matin même, gorgées de ces produits alimentaires ou manufacturés que la colonie de Nausicaa ne produisait pas.

Deux escouades de gardes se déployèrent

pour tenir à distance la meute des journalistes qui allaient se précipiter vers l'escalier de coupée dès que les opérations de décontamination seraient terminées.

Les voitures officielles s'arrêtèrent. De la première limousine descendirent le préfet, le maire de Semtown et le représentant du C.G.H. sur Nausicaa. De la seconde, le secrétaire général du syndicat des vignerons, celui des industries annexes et le président de la chambre de Commerce. Des voitures suivantes, toutes sortes de gens importants, comme les P.-D.G. des grands trusts vinicoles qui avaient fait la fortune de la planète, ou d'autres qui l'étaient moins mais qui se trouvaient toujours dans le sillage de ceux qui l'étaient vraiment.

Le maire se tourna vers le préfet qui haussa les épaules pour marquer son incompréhension. Interrogés à leur tour du regard, les autres voisins eurent de simples et pauvres petites moues.

— Elle n'est pas encore là...

— Ce n'est pourtant pas dans ses habitudes d'être en retard...

Les moues se changeaient en grimaces.

— L'équipe de décontamination aura terminé son travail dans cinq minutes tout au plus, annonça l'officier d'accostage, et nous devrons alors ouvrir les portes de la navette.

— Faites traîner...

Le maire émit un profond soupir... Il se demanda si tout allait bien se passer, si *ELLE* serait arrivée à temps. Les rumeurs coupées d'applaudissements qui éclatèrent dans son dos le rassurèrent. D'un unique mouvement, comme des soldats à la parade, tous les officiels se retournèrent en direction de la berline écarlate à toit de cuir noir, aux jantes, aux pare-chocs, aux phares et aux enjoliveurs étincelants d'or sous les soleils.

La grosse voiture s'arrêta à quelques mètres seulement des officiels, immédiatement entourée par un cordon de policiers qui repoussaient ceux des journalistes qui avaient pu se faufiler entre les gardes.

Le chauffeur et les deux gardes du corps descendirent les premiers, se plaçant de part et d'autre de la portière arrière.

Le maire s'approcha, suivi de la meute des officiels. Alors seulement, Léa Artman mit un pied à terre, parut considérer avec satisfaction la multitude des hommes qui la regardaient puis, avec un sourire vaguement condescendant aux lèvres, elle quitta la voiture et se dirigea vers eux.

C'était maintenant une femme de quarante ans, en pleine force de l'âge. Elle devait prendre un soin attentif de son corps car sa silhouette narguait encore celle de femmes bien plus jeunes. Son visage aussi, lisse et bronzé, impeccablement maquillé, était l'écrin parfait pour ses yeux sombres dans lesquels alternaient velours, fiel ou même parfois étonnante candeur.

Elle était vêtue d'un pantalon de cuir noir qui la rendait encore plus grande, plus mince, et d'une veste de laine amarante ouverte sur un chemisier gris à jabot.

Elle était suivie par un jeune homme à peine sorti de l'adolescence qui n'aurait pu que difficilement cacher sa filiation.

— Nous arrivons à temps, affirma-t-elle en tendant sa main au maire qui se pencha pour y porter ses lèvres.

— Madame Artman, les opérations de décontamination sont terminées et nous allons ouvrir les portes de la navette, annonça l'officier d'accostage.

Le jeune homme s'approcha à son tour. Il fixait la porte avant de la navette, les yeux brillants de larmes.

— Nathaël est très ému de connaître enfin sa grand-mère, dit Léa... La dernière fois qu'elle l'a pris dans ses bras, il avait tout juste trente mois.

Il y eut des rires de circonstance.

— Un bail, madame, dit le président de la chambre de Commerce.

— Quinze ans...

Léa Artman haussa le sourcil.

— Vous dites cela pour me rappeler mon âge, Tucker, ou pour nous annoncer votre demande officielle de mise à la retraite ?

Il y eut d'autres rires. L'homme devint écarlate, bredouilla une excuse qui l'enfonça encore plus. Il recula d'un rang, essaya de disparaître parmi les autres personnalités.

La machine à décontaminer s'éloigna et on entendit le sifflement de l'air comprimé qui décrochait les fermetures étanches. Bientôt, la porte avant commença à pivoter lentement sur elle-même.

Un grand silence se fit sur l'aire d'atterrissage puis on vit apparaître l'une des hôtesses qui aidait la vieille dame à sortir.

A soixante-douze ans, Liv Artman revenait enfin sur Nausicaa.

***

La vieille dame descendit lentement les marches de l'escalier de coupée puis, lorsqu'elle posa enfin le pied sur le sol, les applaudissements éclatèrent, couverts par la musique des gardes qui attaqua l'hymne aux glorieux explorateurs.

Le maire, le préfet et toutes les autorités se redressèrent, bien droites, le menton relevé, les yeux peut-être un peu humides d'émotion. Il y avait longtemps que l'hymne n'était plus joué sur Nausicaa où, maintenant, les cours du vin étaient plus discutés que les exploits des conquérants.

Les journalistes se pressaient, poussant les gardes qui faisaient la chaîne. L'un d'eux parvint à glisser un micro par-dessus les épaules. Il cria :

— Liv Artman, quelles sont vos impressions en revenant ici, après tout ce temps ?

La vieille dame tourna lentement son visage vers le micro. Elle sourit et ferma les paupières, sans doute pour mieux se souvenir.

— Il me semble simplement que je rentre au

pays... Vous savez, ajouta-t-elle, j'ai déjà une personne très proche et très chère enterrée sur le sol de cette planète.

— Etes-vous venue présider le conseil d'administration extraordinaire de la Artman's Wine company ?

— Oh que non... D'ailleurs, ma fille Léa est très capable de s'occuper des affaires de la famille. Et puis, je suis maintenant une vieille dame qui ne pense pas à toutes ces choses sans intérêt... Mais excusez-moi...

La vieille dame fit un pas en direction des officiels puis elle s'arrêta, se tourna vers l'hôtesse qui se trouvait toujours à son côté.

— Je suis encore capable de marcher toute seule...

Elle resta quelques secondes immobile, contemplant le jeune homme qui venait à sa rencontre.

— Nathaël...

Elle lui ouvrit les bras, l'y serra puis elle se recula pour bien constater que ce presque homme était bien son petit-fils.

— Nathaël, tu es plus grand que moi !

Les officiels essuyèrent une larme (encore l'émotion) et la vieille dame embrassa sa fille, salua les autorités, puis le maire sortit un papier de sa poche. Il s'approcha des micros qui étaient installés à quelques mètres de là.

Il s'installa, ses adjoints à sa gauche, le préfet à droite comme l'exigeait le protocole puis il sourit aux caméras vidéo avant de commencer sa lecture.

— Liv Artman... Ici, sur Nausicaa, votre nom est à la fois légende, réalité et mystère... Légende car vous faisiez partie de la première expédition, la plus fabuleuse, celle qui s'est posée à l'entrée de la vallée Bertrand il y a maintenant quarante-deux ans. Vous précédiez ainsi les milliers puis les millions de Terriens venus coloniser cette planète lointaine... (Il regarda à nouveau les caméras en souriant — les élections étaient pour l'an prochain.) Votre nom est aussi réalité car la Artman's Wine company est l'une des cinq grandes exploitations qui ont fait la richesse de Nausicaa... Enfin, votre nom est mystère car celui de votre époux, le grand commandant Artman a été donné à cette salle gigantesque où tournent depuis toujours les machines silencieuses et efficaces, indéréglables, selon un rythme auquel nos chercheurs donneront un jour sa véritable signification... Liv Artman, par ma voix, c'est la population entière de Nausicaa qui vous souhaite la bienvenue sur ce monde qui est un peu le vôtre, qui, je dirais plus, est un peu vous-même...

Il y eut les applaudissements d'usage puis la vieille dame s'approcha à son tour des micros, attendit le silence.

— Comme vous pouvez l'imaginer, les mots me manquent. Retrouver en même temps une famille absente depuis bientôt quinze ans et le sol où, pour moi, tout a commencé... Et puis, vous devez comprendre que l'âge rend plus perméable à l'émotion et...

La vieille dame porta sa main à son front et on

sentit qu'elle allait chanceler. Ceux qui étaient proches se précipitèrent pour la soutenir. Elle les repoussa du geste et redressa le visage.

— Maintenant, je vais vous demander de bien vouloir pardonner la modestie de ma réponse, mais je crois que je devrais rentrer chez moi pour me reposer...

Elle chercha son petit-fils du regard.

— Viens à côté de moi, Nathaël.

Les applaudissements reprirent de plus belle et la vieille dame eut encore une fois son sourire un peu mystérieux.

— Rentrons maintenant, dit-elle à sa fille quand elle fut installée à l'arrière de la berline écarlate.

2

La voiture s'arrêta souplement devant le porche de la maison construite tout en haut de la colline. Cela faisait drôle, cette bâtisse dressée comme une forteresse, entourée seulement de ces petits arbustes couleur de rouille qui constituaient la végétation d'origine de la planète.

Quand les grandes compagnies vinicoles commencèrent à faire de solides bénéfices, leurs propriétaires avaient tenté de recréer une atmosphère terrienne autour de leurs demeures. Ils avaient fait venir à grands frais des arbres et même de l'herbe de la lointaine planète bleue, mais rien n'avait pris. Les racines de ces végétaux paraissaient se dessécher au bout de quelques semaines et tout redevenait ocre comme avant. Seule, la vigne se développait harmonieusement dans ce sol étrange, une vigne bien vigoureuse et surtout plus rentable que sur la vieille Terre.

Alors, ils avaient renoncé et ils s'étaient contenté des arbustes rabougris qui entouraient leurs demeures de cette végétation couleur de sang. Pour égayer les constructions, on avait alors planté des vignes grimpantes qui couraient sur les murs, transformant les bâtisses en gigantesques cages feuillues.

Le château Artman se dressait presque au centre des cent mille hectares de vignes qui constituaient le domaine. Au bas de la colline, on trouvait les bâtiments administratifs qui entouraient l'entrée des caves creusées à flanc de coteau. Plus loin, les immeubles où vivaient les travailleurs, séparés des villas de la maîtrise par des haies de vigne vierge.

Quand la berline écarlate était passée à la hauteur des bâtiments administratifs, les employés de la firme regroupés le long du parcours, rangés par ordre hiérarchique, l'avaient longuement ovationnée en brandissant des calicots sur lesquels on avait peint des slogans qui vantaient les mérites de la famille Artman.

— En si peu de temps, avait simplement murmuré la vieille dame.

Maintenant, le maître d'hôtel venait de refermer la double porte du salon derrière la famille qui se retrouvait enfin seule.

Léa s'approcha de sa mère. Cette fois, elle se laissa tomber dans ses bras, abandonnant cette sécheresse qui faisait d'elle l'une des directrices de compagnies les plus redoutées de la planète.

— Maman, il y a si longtemps que nous attendions ta venue...

— Je ne suis qu'une vieille femme, Léa, une vieille femme qui ne sera bientôt plus qu'un fardeau.

— Pourquoi dis-tu cela... C'est grâce à toi si...

— Si cette entreprise est devenue ce qu'elle est... Non, Léa, c'est ton travail qui l'a placée au numéro cinq galactique pour le commerce des vins... Moi, au départ, je n'ai fait qu'apporter le peu d'influence que représentait encore mon nom auprès des autorités du Centre.

— Nous avons obtenu les meilleures terres, celles qui étaient le mieux exposées. Certains concurrents ont même laissé entendre que les tirages au sort avaient été truqués.

— Des concurrents, tu viens de le dire... Tout cela est faux.

— La chambre de commerce et le syndicat des vignerons trouvent incroyables que notre compagnie soit la seule à bénéficier gratuitement de l'énergie fournie par les machines de la salle Artman.

— Ce sont nos machines, Léa...

La vieille dame eut un sourire amusé.

— ... Ils me devaient bien ça !

Léa fit quelques pas, alla jusqu'aux hautes fenêtres qui s'ouvraient sur la vallée, parla sans se retourner.

— Demain, pendant le conseil extraordinaire, j'annoncerai que c'est notre compagnie qui a racheté en sous-main plus de la moitié des actions de l'American-Wine et que nous contrôlons dès lors quarante-cinq pour cent du commerce vinicole galactique.

La vieille dame eut un rire aigrelet.

— En somme que nous contrôlons presque la moitié de la puissance des hommes de la Terre... (Cette fois, elle éclata franchement de rire.) J'imagine la tête de ton père s'il avait pu savoir cela. Lui, le conquérant d'univers, géniteur d'une famille qui en est devenue la maîtresse grâce au commerce du vin.

La vieille dame eut un geste las, comme si elle voulait signifier que, pour elle, cette discussion était close. Elle alla s'installer dans un fauteuil et contempla longuement la décoration cossue de la pièce. Rien n'était trop beau pour les maisons des grands propriétaires vinicoles... Rien ne pouvait résister au pouvoir de leurs fortunes.

Enfin, elle revint vers sa fille.

— Et Jordan ?

— Je n'ai plus de nouvelles depuis dix ans, depuis qu'il a demandé sa mutation pour le corps de contrôle.

La vieille dame hocha la tête... Jordan, le jeune officier qui avait séduit sa fille alors qu'il était au repos sur la base-arrière de Florence-VI. Plusieurs fois, il lui avait demandé la main de

Léa et elle ne la lui avait jamais refusée, se retranchant seulement derrière le jugement de sa fille. Mais celle-ci paraissait incapable de se décider... Et puis, il y avait eu cet enfant, Nathaël, et lui pensa que cette fois tout allait se conclure. La jeune femme évita encore de lui donner une réponse claire, reconnaissant l'enfant sans même en révéler le père.

Nathaël avait reçu le nom des Artman.

« Tu vois, avait dit un jour Léa à sa mère, maintenant, ce que je voulais est arrivé. Un enfant mâle qui portera le nom de mon père... »

Jordan avait encore essayé plusieurs fois de la convaincre puis, quand Léa décida de se laisser porter par la grande ruée vers Nausicaa, après la découverte des vignes fabuleuses, il comprit qu'elle ne serait jamais son épouse et que son fils ne porterait jamais son nom. Il vint les voir deux ou trois fois dans les premiers temps de la conquête vinicole puis, brusquement, il demanda son affectation pour un groupe de contrôle, bien au-delà des dernières colonies, dans les espaces encore vierges où ne naviguaient que les vaisseaux d'exploration et quelques aventuriers à la recherche de trésors sans cesse plus lointains.

La vieille dame regarda son petit-fils.

— Toi, Nathaël, que vas-tu faire maintenant ?

Le jeune homme ne répondit pas. La vieille dame se tourna alors vers Léa qui paraissait brusquement gênée.

— Léa, tu me disais bien l'autre jour, le soir

où nous avons longuement parlé par vidéophone, que Nathaël devrait nous quitter pour aller suivre durant trois ans les cours de l'école supérieure d'œnologie ?

— Je te l'avais dit, maman.

— Pourquoi employer ce passé, pourquoi ce ton ?

Léa Artman regarda son fils qui baissa les yeux, refusant par son geste de répondre de lui-même.

— Nathaël veut être pilote... Il a présenté le concours d'entrée au Centre. S'il y est admis, il partira à la fin du mois.

La vieille dame se tourna vers le jeune homme.

— Pourquoi cela ?

— Je veux être pilote, comme mon père, comme tous les hommes de la famille Artman... Je veux découvrir d'autres mondes au-delà de nos univers et je veux y rencontrer d'autres intelligences.

La vieille dame n'eut cette fois qu'un sourire triste.

— Nathaël, tu ne trouveras jamais ce que tu recherches. Avant toi, ton grand-père avait essayé, et Donald aussi, bien plus longtemps encore et ils ne sont jamais revenus de cette quête... Maintenant, ton père aussi est parti et je te dis que lui aussi ne reviendra pas.

Elle soupira, ajouta :

— Pourquoi cette malédiction ?

— Ce n'est pas une malédiction, grand-mère,

un appel qui est plus fort que nous... Peut-être sommes-nous marqués par un signe invisible ?

La vieille dame se releva.

— Cette fois, je me sens vraiment fatiguée et je veux aller me reposer dans ma chambre.

Au moment où elle parvenait à la porte du salon, elle s'arrêta en découvrant l'animal couché en boule dans un coin du canapé. Un chat au pelage noir, avec une seule étoile blanche sur le front, au-dessus de ses yeux tellement bleus.

— Il est encore là...

— Ce sont des animaux qui vivent très vieux, répondit Léa. Pourquoi n'y serait-il plus ?

3

— Nous arrivons, madame, annonça le chauffeur.

La vieille dame se pencha en avant pour déchiffrer l'inscription gravée sur le fronton qui se trouvait au-dessus de la porte. *Fondation Artman.* Après quelques heures de vol à bord du glisseur de la compagnie, elle se retrouvait sur l'hémisphère nord, dans la vallée Bertrand, quarante-deux ans après que la première navette humaine s'y soit posée.

Les portes s'ouvrirent automatiquement et la voiture parcourut les cent mètres qui séparaient la clôture des bâtiments, un ensemble ultramoderne qu'on avait édifié à l'emplacement de la première avant-base dont on n'avait conservé qu'un seul élément, dressé comme une relique au centre du terre-plein.

La voiture s'arrêta devant le perron principal. Une dizaine d'hommes vêtus de blanc attendaient, alignés en rang d'oignons.

Quand le chauffeur ouvrit la portière et se pencha pour aider la vieille dame à descendre, celui des hommes qui se trouvait à l'extrême-droite du groupe s'avança vers la voiture. On le sentait réellement ému de se trouver en présence de Liv Artman.

— Madame...

Il balbutia, devint livide, ne put prononcer une seule autre parole.

— Madame... Madame, parvint-il simplement à répéter.

La vieille dame sourit gentiment.

— Que se passe-t-il, recteur Singleton ?

— C'est que... C'est que...

— Mais savez-vous que je ne suis pas un monstre extra-terrestre, seulement une vieille femme qui effectue son dernier voyage ?

— Vous ne devez pas...

— Dire cela !

Elle eut à nouveau un sourire.

— Présentez-moi plutôt vos collaborateurs.

Le recteur offrit son bras à la vieille dame qui accepta.

*
* *

Durant presque trois heures, elle avait répondu aimablement aux questions des étudiants réunis dans le grand amphithéâtre, évoquant devant eux les premiers temps de la conquête et le mystère des machines que personne n'avait encore résolu. Ils avaient écouté, demandé parfois d'autres détails, pris des notes, certains même des photos, voulant garder l'image d'un mythe encore vivant.

— Madame, demanda l'un d'eux au moment où la séance allait être levée, permettez-vous que je pose une question d'ordre personnel qui pourrait peut-être éclairer un point de l'histoire de Nausicaa resté obscur malgré les explications de la thèse officielle ?

Les professeurs se regardèrent en blêmissant et le recteur en personne se leva pour signifier à l'étudiant que l'entrevue était maintenant terminée. Une fois encore, la vieille dame le tira de son embarras.

— Je crois, monsieur le recteur, que cette question aurait dû être posée il y a plus de quarante ans... Cela aurait évité bien des murmures inutiles...

Elle sourit aimablement en regardant le jeune étudiant.

— Alors, cette question ?

Le jeune homme se tenait droit, les mains presque crispées sur la table, le visage complètement défait, la voix hésitante, ne pouvant prononcer une seule parole, sentant les regards de ses camarades, ceux des professeurs et surtout celui de la vieille dame qui ne cessait de sourire.

— Vous aussi, jeune homme, comme les autres, comme tous les autres, vous hésitez maintenant à formuler la question... Enfin vous avez montré un courage plus grand que la plupart... (elle ferma les yeux quelques secondes) Donald Winsgate n'a jamais été mon amant, ni avant, ni après notre atterrissage sur Nausicaa... En abandonnant mon époux près de l'une des bornes à énergie de la vallée Bertrand, Donald Winsgate n'a jamais fait qu'obéir aux ordres de son supérieur hiérarchique... Uniquement obéir...

Il y eut une vague moquerie dans son regard.

— Je n'ai d'ailleurs jamais revu Donald Winsgate après que nous fûmes rapatriés sur le vaisseau-mère... Il est mort en 2215, il y a trente ans, dans un accident de navette...

Une autre étudiante se leva.

— Justement, madame, on dit qu'il se serait passé des choses étranges lors de cet accident... La présence d'un animal qui n'aurait pas dû...

Cette fois, la vieille dame eut une mimique énervée.

— Des choses étranges... Le bouclier thermique de la navette s'est détaché lors de la rentrée dans l'atmosphère. Il n'y a rien d'étrange en cela, seulement une affaire de technique et de maintenance.

— Pourtant...

La vieille dame se leva pour signifier que, cette fois, l'entretien était terminé. Elle sortit de l'amphithéâtre, appuyée au bras du recteur, sous les applaudissements des étudiants et de leurs professeurs.

Jamais elle ne pourrait avouer cette vérité

qu'elle était seule à pressentir. D'ailleurs, qui pourrait croire que la mort du commandant Artman n'était en fait qu'un suicide guidé par la soif de gloire, l'ultime manière qu'avait trouvé son époux de voir son nom à jamais accolé à l'une des grandes découvertes de l'homme.

***

— Savez-vous, recteur Singleton, que c'est la première fois que je pénètre dans la salle Artman...

Elle resta longtemps silencieuse, fascinée par les deux gigantesques moteurs électriques qui tournaient silencieusement.

— Hier, dit le recteur, ils se sont arrêtés durant presque deux heures avant de repartir.

— Et celui-là ? demanda la vieille dame en montrant du doigt le troisième moteur géant.

— Les chercheurs qui nous ont précédés l'avaient démonté pour essayer d'en saisir le secret... En vain... Ensuite, ils l'ont remonté, remis en état, rebranché aux câbles d'alimentation mais il ne s'est jamais remis en route... Jamais...

La vieille dame s'approcha de la machine inerte, monstre préhistorique foudroyé. Elle la considéra avec attention, un peu comme si elle se trouvait devant un monument, peut-être même l'autel géant d'un culte mystérieux.

— Connaîtrons-nous un jour la vérité ? murmura-t-elle.

Le recteur Singleton se rapprocha.

— Je ne devrais pas le dire, surtout devant vous qui êtes la bienfaitrice de cette fondation sans laquelle il n'y aurait plus de scientifiques sur Nausicaa, mais je doute du résultat... Je doute surtout depuis que...

La vieille dame parut émerger d'un rêve.

— Que disiez-vous, recteur Singleton ?

— Cela fait maintenant quarante ans que l'on sonde le conduit par lequel passaient les câbles de la machine arrêtée en pensant arriver un jour à déterminer la profondeur à laquelle se trouverait la source d'énergie... Au début, ce fut long et difficile et le rayon-laser ne progressait que très lentement puis tout s'accéléra. Il y a une semaine, nous avons atteint la cote – 325 000, et depuis, nous progressons à nouveau difficilement, ce qui voudrait dire que nous avons peut-être atteint le noyau...

— Le noyau !

— L'énergie proviendrait donc directement du noyau et non pas d'un accumulateur rechargé par les orages de surface.

La vieille dame fixa le recteur. Elle eut un imperceptible mouvement de visage.

— Alors, nous ne saurons jamais...

Elle poussa un léger soupir, accorda un dernier regard aux machines gigantesques et elle se dirigea vers le monte-charge qui permettait de remonter en surface.

Pendant que la plate-forme s'élevait lentement, le recteur Singleton murmura, un simple souffle, comme pour lui-même :

— Et si nous étions allés trop loin...

C'est ce soir-là, en rentrant au château Artman, que la vieille dame décida qu'elle terminerait sa vie dans la vallée Bertrand. Le lendemain, elle faisait convoquer l'architecte de la compagnie pour lui demander de dresser les plans de sa future demeure.

LA QUATRIÈME GÉNÉRATION

EXTRAITS DU SEMTOWN-STAR

28 octobre 2245

Nous avons appris avec plaisir que le jeune Nathaël Artman, fils unique de Mme Liv Artman, P.-D.G. de la Artman's Wine company, a été admis à suivre les cours de pilotage du Centre de formation des explorateurs.
Nous lui souhaitons une pleine réussite dans cette discipline âpre, dure, mais tellement exaltante...

2 janvier 2246

Mme Liv Artman, chevalière de l'ordre du Renouveau terrestre, doyenne honoraire du corps des Explorateurs spaciaux, a déclaré au cours du repas de réveillon qu'elle présidait que, désormais, elle ne quitterait plus le sol de Nausicaa.

Nous rappelons que Mme Liv Artman faisait partie de la première expédition qui s'est posée sur notre monde en 2203 et au cours de laquelle son époux, le commandant Artman, a trouvé la mort. Mme Liv Artman, après avoir été durant quinze ans la surveillante bio-médicale de l'environnement sur Florence-VI, fut ensuite la première présidente de l'Institut des recherches en communications extra-humaines.
Mme Liv Artman, qui est aussi la principale actionnaire de la Artman's Wine company, a racheté en 2240 les installations désertées de la mission d'étude situées en lisière de la vallée Bertrand pour y installer la fondation qui porte son nom. L'installation définitive d'une si haute personnalité sur notre monde réjouira tous les habitants de Nausicaa qui, se joignant naturellement à moi, souhaitent la bienvenue à celle qui est et restera un modèle.

3 février 2246
Une bombe de fabrication artisanale a explosé hier au soir dans un dépôt appartenant à la Artman's Wine company. Il n'y a heureusement eu aucune victime et les dégâts occasionnés à la cuve 5457 du dépôt ne sont que superficiels.

18 août 2247
Pour la première fois depuis qu'un homme a mis le pied sur Nausicaa, les machines de la salle Artman se sont arrêtées simultanément et ce, durant trois jours consécutifs.
Les manufactures dépendantes du trust Artman

ont été branchées sur le réseau général durant cette interruption énergétique.

20 août 2247
Le syndicat des vignerons demande que cesse le privilège accordé au trust Artman qui profite seul de l'énergie gratuite fournie par les moteurs géants situés dans la vallée Bertrand.

30 juillet 2249
Nous apprenons que Nathaël Artman est sorti major de la promotion « général Speed » des pilotes spaciaux. Le jeune officier arrivera prochainement sur Nausicaa pour y passer des vacances bien méritées.

1er septembre 2249
Potins mondains
Nous apprenons avec plaisir le mariage de Nathaël Artman avec mademoiselle Selva Judonpierre, la charmante fille du secrétaire général du syndicat des vignerons.
Tous nos vœux de bonheur aux jeunes époux...

3 janvier 2250
Brèves nouvelles économiques
— La Artman's Wine company vient d'absorber la Coca-mousse.
— Mme Léa Artman, P.-D.G. du trust, a été élue ce matin secrétaire générale du syndicat des vignerons, en remplacement de M. Judonpierre, démissionnaire.

8 juillet 2250
Carnet
M. et Mme Nathaël Artman ont la joie de vous annoncer la naissance d'une petite fille prénommée Love.
Tous nos vœux de bonheur à la jeune héritière de cette dynastie qui a tant œuvré pour le bonheur de la population de Nausicaa.

3 août 2250
Le premier lieutenant Nathaël Artman vient d'être nommé officier en second du Starwash, *un croiseur rapide affecté à la VIIe flotte de combat.*

15 novembre 2250
A nouveau, les moteurs électriques géants de la vallée Bertrand sont tombés en panne durant plus de cinq jours.
C'est la troisième fois cette année qu'un incident de cette nature se produit. Il en est résulté de profonds bouleversements dans la distribution d'énergie et le courant électrique a dû être rationné dans Semtown et d'autres localités de moindre importance afin que les installations vinicoles soient alimentées en priorité.

20 novembre 2250
Les colonies de la Ligue sudiste ont proclamé unilatéralement leur indépendance. Elles ont décidé de ne plus payer leurs cotisations contractuelles au fonds monétaire galactique, d'abaisser leur taux de douane sur les marchandises en provenance des colonies affranchies et de ne plus

répondre favorablement aux demandes d'extradition formulées par le Conseil Général Humain. Ce dernier a répondu à cet acte inqualifiable par l'envoi d'une mission diplomatique chargée de signifier, par ultimatum, l'ordre aux colonies de la Ligue sudiste de rentrer immédiatement dans la légalité galactique.

Titres

LA GUERRE GALACTIQUE ÉCLATERA-T-ELLE ?

(21/XI/2250)

LES REBELLES DÉTRUISENT LE VAISSEAU DES PLÉNIPOTENTIAIRES

(Spéciale du 21/XI/2250)

CETTE FOIS, LA GUERRE...

(22/XI/2250)

LES IMMORTELS
(28 novembre 2250)

Le *Starwash* se trouvait en éclaireur, à environ six cents millions de kilomètres en avant du gros de la flotte qui attendait des renseignements plus précis avant de se déployer pour encercler les forces de la Ligue du sud.

Philémon, le commandant du croiseur, se tourna vers son copilote, un homme encore jeune qui n'avait rejoint sa première affectation que quatre mois auparavant.

— Un peu d'appréhension, Nathaël? lui demanda-t-il.

— Un peu... Ça va être la guerre, commandant.

— Rassurez-vous... Nous en sommes tous au même point. Personne ne sait vraiment ce qu'est la guerre... Personne, ni parmi nous ni parmi ceux de la Ligue... Personne n'a jamais participé à un véritable combat depuis plus de cent ans. Pour connaître les effets et les conséquences d'un conflit, il faudrait fouiner dans les archives de la biblio-terrestre et cela, bien entendu, le Conseil s'y opposera.

Nathaël Artman eut un sourire un peu forcé.

— Vous, commandant, vous vous êtes déjà battu.

— Vous voulez rire... Quelques accrochages avec des pillards et un échange de coups de feu avec des contrebandiers. Ça n'a jamais été très loin. Je ne me souviens pas avoir détruit un seul vaisseau, excepté un vieux cargo marchand qui s'est écrasé tout seul contre un astéroïde alors que nous lui donnions la chasse.

Le commandant brancha l'astradar de recherche sur l'écran de contrôle. Ce dernier demeura sombre, strié parfois de rapides traits de lumière ; des astéroïdes qui parcouraient l'espace.

Il appela alors le poste arrière où se trouvaient les moteurs, les cales à munitions, les logements et le reste de l'équipage, la cabine de pilotage étant située très en avant, reliée au reste du vaisseau par un long couloir de liaison, ce qui donnait à l'engin l'aspect d'un de ces gigantesques monstres préhistoriques, avec une tête minuscule balancée au bout d'un long cou.

— Contacts ?

— Négatifs, commandant... Aucun contact dans un rayon de six mini-enns...

— Soyez vigilants... Nous allons quitter le sub-espace et nous ne devrions pas tarder à entrer dans la zone contrôlée par les forces de la Ligue.

Le croiseur se matérialisa dans l'espace réel. Les deux pilotes avaient leurs regards fixés sur leur instrumentation, mais les écrans ne reflétaient encore que le vide, toujours.

Ils approchaient de New-Atlanta, une planète qui avait longtemps servi de quarantaine aux colons voulant s'installer sur l'un des mondes appartenant à la Ligue du sud. Depuis vingt ans, il n'y restait qu'une dizaine d'hommes chargés de la maintenance, mais la base avait pu être secrètement réactivée pour ravitailler les vaisseaux rebelles.

— La guerre sera sans doute très longue, dit Nathaël.

— Vous voulez plaisanter... La Ligue ne dispose que de quelques vaisseaux de combat et il est hors de question que leurs arsenaux puissent en lancer dans les semaines à venir...

— Peut-être avaient-ils préparé leur trahison de longue date, construit et stocké des vaisseaux en grand nombre.

— Impossible...

Le commandant éclata de rire.

— ... Tenez, Nathaël, je vous affirme que vous irez sur Nausicaa pour fêter le premier anniversaire de votre fille.

— Dans ce cas, commandant, vous serez l'invité d'honneur de la fête !

Le jeune copilote sourit... Cela faisait maintenant quatre mois qu'il avait quitté la planète de la vigne... Avant que l'escadre n'appareille pour les lointaines colonies du sud et que les communications radio soient coupées, il avait appelé sa jeune épouse tous les soirs...

« Tu nous manques, Nathaël... Nous comptons déjà les jours qui nous séparent de ton retour.

— J'aurai certainement une longue permission après cette première croisière.

— Dans combien de temps ?

— Deux mois, un peu plus peut-être... »

Il lui demandait des nouvelles de Nausicaa, de la compagnie, des vignes, pour en arriver sans en avoir l'air aux questions qui le préoccupaient vraiment.

— Et ma mère ?

— Toujours très occupée, tu sais... C'est bientôt la vendange et elle tient à tout vérifier par elle-même, surtout depuis qu'elle a succédé à mon père au secrétariat du syndicat... Il faut du temps pour exercer son pouvoir...

Il connaissait l'antagonisme qui existait entre les deux femmes, surtout depuis que Léa Artman avait conquis le syndicat des vignerons. « Pour ta mère, notre mariage a été une affaire de plus... Un moyen de conquérir un peu plus de pouvoir. » Il en souffrait secrètement.

— Et grand-mère ?

— Ça y est... Elle s'est installée hier dans sa maison de la vallée Bertrand pour y terminer sa vie comme elle dit, mais elle nous enterrera tous...

La voix de la jeune femme avait vacillé.

« ... Qu'y a-t-il donc, Selva ?

— *Ces derniers temps, avant qu'elle n'aménage dans sa nouvelle maison, ta grand-mère était devenue bizarre...*

— *Explique-toi mieux.*

— *Elle disait qu'elle allait rejoindre John... C'est le nom de ton grand-père, je crois.* »

Philémon jeta un coup d'œil sur l'écran des recherches éloignées. Un point lumineux venait d'y apparaître, scintillant par saccades comme s'il était encore trop loin pour rayonner d'une manière continue.

— Contact avant établi, commença-t-il pour demander une vérification à son copilote.

Nathaël sursauta, tiré de sa rêverie. Il enclencha à son tour la recherche éloignée.

— Contact confirmé, analyse en cours.

L'ordinateur de bord avait déjà enregistré les caractéristiques du « contact » pour les analyser. Il donna son verdict une seconde plus tard.

« *Objets en mouvement — contact différencié dans 10 minutes.* »

Le commandant eut un sourire.

— Je suis prêt à vous parier deux ans de solde que nous avons mis dans le mille... Ce qui est devant nous n'est rien moins que la flotte rebelle, encore trop éloignée pour que l'astradar distingue les vaisseaux les uns des autres.

— Nous prévenons le quartier général ?

— Nous devons être certains de l'information avant de la répercuter... Une erreur, et nos forces seraient dispersées en de mauvaises directions, laissant la voie libre aux rebelles.

— Alors ?

— Nous allons nous rapprocher encore... Il nous faut un contact de vision-5 minimum pour être certains de nous trouver en face de l'ennemi. Cet écho n'est peut-être que celui de vaisseaux marchands naviguant de conserve pour se protéger mutuellement des pirates.

Philémon se plongea dans l'étude de la courbe d'approche qui maintenait le cap du croiseur. Il vérifia le bon fonctionnement de tous les systèmes d'attaque dont le vaisseau était muni puis il brancha le journal de bord sur l'ordinateur de combat rapproché afin que celui-ci enregistre fidèlement tous les aspects de la bataille si celle-ci avait lieu.

Il se demanda si son copilote allait tenir le coup... Un jeune officier qui n'avait pas une année de navigation derrière lui, qui ne s'était même jamais frotté à de simples pirates.

Depuis que Nathaël Artman s'était présenté à la coupée du *Starwash*, lui ne cessait de se reposer la même question. Comment un homme comme ce jeune pilote pouvait se trouver dans la cabine d'un croiseur pouvant être attaqué et se désintégrer à tout instant. Quand on est l'héritier d'une des dix plus importantes fortunes galactiques, on doit quand même avoir d'autres attirances que celle de se trouver aux commandes d'un tas de ferraille capable de se transformer en confetti incandescents.

Lui aurait su quoi faire d'une pareille situation...

— Contact avant de vision-30...

Philémon se pencha sur l'écran, pianota ses ordres de recherche, attendit quelques secondes avant de voir se matérialiser l'image agrandie de ce que suivait l'astradar.

— Sept vaisseaux de combat... Certainement la totalité des forces rebelles.

— Aucun croiseur...

— Sans doute dépêchés dans d'autres secteurs ou bien servent-ils à protéger les flancs de leur flotte. Dans ce cas, ils peuvent se trouver encore en sub-espace.

— Prenons-nous contact avec le quartier général ? demanda Nathaël.

— Pas encore, nous allons nous approcher pour tâcher d'identifier ces vaisseaux.

— Pourquoi ?

— Pour faire un rapport qui en soit un... Si nous pouvons identifier avec précision les vaisseaux, notre état-major saura quelles forces il a exactement en face de lui...

Nathaël comprit que le commandant allait le mettre à l'épreuve. Il trouva que prendre de tels risques était inutile et grotesque.

« *Contact de vision-15* », annonça l'ordinateur.

— Maintenant, eux aussi ont dû nous repérer, dit Nathaël.

— Certainement, mais nous sommes plus rapides et nous ferons volte-face avant d'arriver à portée de leurs armes.

Instinctivement, les deux hommes s'enfoncèrent un peu plus dans le dossier de leur siège.

Philémon enclencha le radar visuel et ils distinguèrent avec précision les sept vaisseaux de combat qui approchaient en rangs serrés.

— Contact de vision-8...

Il y eut un choc effroyable. Le *Starwash* fut projeté en avant, roulant sur lui-même comme un fétu de paille.

Malgré leurs harnais de sécurité, les deux hommes se heurtèrent aux instruments qui les entouraient, s'y blessant légèrement.

— Que se passe-t-il ? hurla Nathaël.

— Un choc...

Le commandant réagit instantanément. Il brancha la vidéo-contrôle sur la partie arrière du croiseur. L'écran resta noir. Il essaya encore, sans plus de résultat.

— Poste arrière, commandant appelle poste arrière...

Personne ne répondit.

— Pression en baisse dans la partie centrale, annonça Nathaël... Pression en chute rapide, sans doute avarie sérieuse.

Il y eut un nouveau choc... A nouveau, le croiseur fut projeté dans l'espace par une main gigantesque, roulant sur lui-même pendant quelques centaines de kilomètres.

— Cette fois, c'est sérieux, dit Nathaël qui n'avait pas quitté des yeux l'indicateur de pression intérieure.

— Allez évaluer les dégâts... Rapport permanent...

Pendant que Nathaël essayait de se dégager

du harnais de sécurité qui avait dû être faussé par les chocs, le commandant tenta encore de reprendre contact avec le reste de l'équipage. Cette fois, une voix lointaine et nasillarde, déformée par le réseau radio endommagé, lui répondit.

— Sergent George au rapport...

— Que se passe-t-il ?

— Attaque surprise de trois intercepteurs ennemis qui ont surgi du sub-espace à moins de cinquante kilomètres... Ils sont en train de reprendre du champ pour mieux ajuster leur prochaine salve.

— Evaluation des dégâts...

— Equipage hors de combat... Six morts, deux blessés graves... Je suis le seul homme encore indemne.

— Navire ?

— Gravement endommagé... Forte baisse de pression dans le compartiment arrière, fissures apparentes dans le couloir de liaison.

Le commandant se tourna vers son copilote qui venait enfin de se dégager.

— Faut aller vérifier...

Nathaël quitta le poste de pilotage. Il déverrouilla la porte étanche du sas qui les séparait du long couloir menant au couloir central. Il eut du mal à ouvrir la seconde porte, sans doute déformée par l'effroyable choc des deux charges nucléaires explosant à moins d'un kilomètre du croiseur.

Dès qu'il se trouva dans le couloir, il réalisa que quelque chose n'était pas normal, le froid peut-être, à moins que ce ne soit cette impression de raréfaction de l'air.

Il s'approcha d'un tableau de contrôle qui se trouvait à quelques pas seulement.

— Alors ? demanda la voix du commandant.

— Il doit y avoir une sacrée fissure dans ce satané couloir... Ici, la pression baisse à vue d'œil... Les enregistreurs indiquent un appel d'air vers le compartiment arrière.

— Rentrez au plus vite sans refermer la porte extérieure du sas... Trop de temps...

Nathaël se précipita, ouvrit directement la seconde porte, celle qui donnait dans le poste de pilotage. Il sentit l'air fuser sur son visage et il dut peser de toutes ses forces pour refermer la porte blindée qui s'encastra exactement dans son logement. Les étanchéités à gaz inerte fonctionnèrent automatiquement.

— Je rétablis l'atmosphère, annonça le commandant.

Nathaël allait rejoindre son poste quand la lampe rouge s'alluma au-dessus de la porte du sas.

La voix du rescapé leur parvint.

— Libérez la porte... Vite... Libérez la porte...

Nathaël dégagea le hublot qui permettait de voir à l'intérieur du sas. Il reconnut le sergent George, responsable de la maintenance des moteurs linéaires, l'unique rescapé du compartiment arrière. Il se pressait contre la porte étanche donnant sur la cabine de pilotage sans avoir pu refermer celle qui s'ouvrait sur le couloir.

— Refermez la seconde porte, sergent... Il faut isoler le sas...

— C'est impossible... Elle est bloquée... Vite, ici la pression va devenir négative... Vite...

Nathaël se tourna vers le commandant qui regardait lui aussi la porte du sas.

— Pression dans le sas ? demanda le commandant.

— 380...

— Chute ?

— 25 par seconde...

— Le vide dans quinze secondes... Nous ne pouvons prendre le risque de ne pouvoir rétablir la pression dans la cabine de pilotage.

— Mais le sergent va éclater !

Le commandant se concentra à nouveau sur les instruments de pilotage à vue.

— Reprenez votre poste de combat, lieutenant.

Nathaël ne pouvait détacher son regard du sas où le sergent frappait de toutes ses forces sur la porte... Il hurlait... Nathaël n'entendait plus ses hurlements car le commandant venait de couper le contact phonique... Pression 100 — 75 — 50 — 25... Il crut que l'homme qui se trouvait de l'autre côté de la porte étanche grossissait brusquement, que son visage, son corps, son crâne même gonflaient comme des baudruches puis l'homme éclata comme un fruit trop mûr, projetant des fragments de lui-même sur les parois du sas. Le hublot fut éclaboussé de chair sanguinolente.

Nathaël se pencha et vomit, sans pouvoir retenir les spasmes.

— Lieutenant, reprenez votre poste de combat...

Il parvint à se réinstaller dans son siège, repassa son harnais, en serra les boucles.

— Les intercepteurs sont à nouveau derrière nous... Cette fois, ils ne nous manqueront pas. Avec notre vitesse réduite, nous n'avons pas une chance d'échapper à un coup au but...

— Mais alors ? hurla Nathaël.

Le commandant ne répondit pas, les yeux fixés sur les cadrans de contrôle des moteurs.

— Je ne sais pas où se trouvent les intercepteurs, mais je sentirais le départ de leurs roquettes... Une seule solution, passer en sub-espace à cet instant précis.

— Passer en sub-espace avec un vaisseau dont la coque est tellement fissurée qu'elle risque de se rompre durant le transfert !

— Nous avons dix secondes pour nous décider...

Le commandant posa sa main sur la manette de propulsion. Son cœur battait à se rompre. Il sentait que les intercepteurs venaient de se replacer en position de tir, qu'ils allaient lâcher leur seconde salve... Un léger bond de l'aiguille du sonar arrière... Les roquettes étaient parties. Il poussa la manette à fond...

— Transfert...

Les structures du croiseur commencèrent à

vibrer, communiquant leur tremblement aux tableaux de commandes et aux écrans qui s'étaient éteints lorsque le vaisseau avait plongé dans le sub-espace.

La coque parut se déformer sous la poussée puis, peu à peu, le calme se rétablit et envahit la cabine de pilotage. Un calme presque irréel, comme si le croiseur flottait maintenant dans un espace sans tempête, sans combats et sans explosions.

Nathaël se décrispa lentement. Il fixait les instruments regroupés devant lui. Tous les cadrans étaient faiblement éclairés par une lumière verte. Il sursauta, passa sa main devant son visage pour effacer un mauvais rêve.

— Nous sommes passés, souffla le commandant... Nous avons échappé aux roquettes.

Nathaël savait maintenant qu'il ne rêvait pas et que, devant lui, les cadrans de contrôle étaient de véritables cadrans de contrôle.

Toutes les aiguilles étaient bloquées sur le ZERO des graduations. Peut-être n'étaient-ils pas encore partis pour cette mission d'avant-garde ?

— Nathaël...

Il se tourna lentement vers le commandant. Ce dernier avait les mâchoires tellement crispées que les muscles de son visage saillaient sous la peau brune.

— Vérification des contrôles.

— Zéro... Tous les contrôles sont à zéro... Panne générale du circuit principal. Je branche le secondaire...

— Inutile.

Nathaël avait déjà la main sur le clavier de commande des circuits électriques. Ses doigts effleurèrent les touches sans les enfoncer. Il murmura.

— Pourquoi ne pas brancher le secondaire ?

Le commandant parut se détendre. Un sourire étrange apparut sur ses lèvres.

— C'est inutile, car j'ai déjà branché le secondaire...

— Il faut...

— Brancher le tertiaire... Cela aussi a été fait, Nathaël... Et aucune de ces foutues aiguilles n'a seulement bougé d'une seule graduation.

Le commandant ricana.

— Tous nos circuits sont morts... Il ne reste que le secours de la cabine de pilotage, à peine capable de maintenir la pression et de fabriquer l'oxygène.

Nathaël se révolta.

— Il faut réparer...

— Il n'y a plus d'équipage et, derrière nous, au-delà de la porte du sas, il n'y a que le vide.

— Mais alors ?

Le commandant eut cette fois un petit rire aigrelet qui sonna faux, comme celui d'un mauvais acteur.

— Alors, nous sommes condamnés à rester dans le sub-espace... Sans énergie, nous n'en émergerons jamais plus.

— Ce qui veut dire ?

Le commandant éclata de rire, un rire encore plus étrange que le précédent et, cette fois, des larmes se formèrent en même temps dans ses yeux.

Il se leva, quitta son siège, toujours secoué par le rire.

— Ce qui veut dire que nous sommes devenus immortels !

Nathaël le suivait du regard. « Il est devenu fou... » Mais lui n'avait pas encore réalisé, ne comprenant pas encore la vérité.

— Immortels, Nathaël... Pour nous, le temps n'existe plus puisqu'il n'y a pas de temps dans le sub-espace. Nous y resterons à jamais, sans vieillir, sans changer d'aspect pendant que des générations passeront... Nous sommes devenus immortels !

Le commandant s'approcha de la pendule digitale qui donnait l'heure terrestre, la même sur tous les mondes et dans tous les vaisseaux de l'empire des hommes.

Il la fixa un court instant puis, brusquement, il arracha une clef de son logement et il frappa de toutes ses forces sur la pendule qui éclata.

— Le temps... Plus de temps... Jamais plus de temps...

Nathaël se sentit fatigué, tellement fatigué qu'il aurait voulu pouvoir se reposer, dormir, peut-être toujours, et rejoindre par le rêve les grandes plantations de vigne où l'attendait sa famille.

Dormir... L'engourdissement devint plus pesant, presque insoutenable. Alors, il ne résista plus et il se laissa glisser dans l'immortalité.

Commencée le 22 novembre 2250, la guerre contre les colonies de la Ligue sudiste se termina dix jours plus tard par la destruction complète de la flotte rebelle.

Les pertes gouvernementales furent extrêmement réduites, un croiseur et une douzaine d'hommes, tous décorés de l'ordre du Grand mérite galactique.

UNE BOUCLE DE CINQUANTE MILLE ANS

(avril 2252)

La maison avait été construite sur le flanc de la colline, solidement plantée sur des piliers d'acier que l'on avait enfoncés jusque dans le roc.

C'était une bâtisse trapue aux murs épais coulés d'une seule pièce en béton renforcé, avec peu d'ouvertures ; petites fenêtres en forme de meurtrières, fermées par des vitres épaisses, capables de résister aux vents les plus violents.

On avait équipé la maison de paratonnerres électromagnétiques destinés à détourner la foudre qui frappait si souvent la vallée Bertrand. Ils n'avaient jamais servi, car les quatre bornes de céramique qui marquaient les angles de la salle Artman étaient toujours aussi avides d'énergie.

Cela faisait maintenant presque trois ans que la vieille dame vivait en permanence dans la maison isolée, à attendre les orages.

Au début, les candidats domestiques avaient

accouru, attirés par les gages élevés qu'elle offrait, mais bien peu avaient résisté longtemps à la vie dans cet endroit. Maintenant, il ne restait que le vieux chauffeur et son épouse qui assurait l'entretien de la partie encore habitée de la maison.

La vieille dame se tenait souvent dans sa chambre, une pièce située tout au sommet de la demeure. Le plafond était constitué de plaques de verre blindé enchâssées dans des poutrelles de titane.

Assise dans son fauteuil, Liv Artman restait de longues heures, parfois des nuits entières, à contempler les orages, à guetter le prochain éclair, à le suivre, à ressentir son choc sur le sol.

Elle n'avait plus jamais quitté cette demeure sinon une unique fois, pour assister aux funérailles de son petit-fils. Une cérémonie étrange, presque irréelle, avec cette clique militaire qui jouait des airs martiaux et la longue procession des officiers généraux venus parce qu'ils en avaient reçu l'ordre.

Il y avait eu des discours, et puis d'autres discours devant un cercueil vide puisqu'on n'avait jamais retrouvé la trace du *Starwash*... Désintégré ou perdu dans le sub-espace.

Dans la tribune officielle, à la droite du maréchal-major, commandant absolu de toutes les forces terrestres, on avait remarqué la haute stature élégante de Léa Artman, la femme que beaucoup aimaient comparer aux grands prédateurs qui hantaient les forêts tropicales de la vieille Terre des siècles auparavant. Léa Artman avait refusé que Jordan, le père de son fils disparu, assiste à la cérémonie et, sur Nausicaa, ses paroles avaient maintenant force de loi.

La vieille dame avait entendu les discours sans chercher vraiment à les écouter. Elle était revenue quarante ans en arrière, quand on avait enterré cet autre cercueil vide qui était censé contenir les restes de John.

« ... Par son sacrifice héroïque, l'équipage du *Starwash* a stoppé l'avance de la flotte ennemie durant le temps nécessaire à nos forces de terminer leur manœuvre et... »

Mensonge... Abominable mensonge puisque le croiseur avait disparu corps et bien avant même d'avoir signalé la présence de l'ennemi... L'ennemi, quelques vaisseaux d'un type révolu qui n'avaient pas pesé lourd en face d'une centaine d'engins modernes supérieurement armés.

« ... Le souvenir de ces héros restera à jamais gravé dans la reconnaissance des hommes de la Terre... »

La vieille dame regardait Selva, l'épouse de son petit-fils disparu. Une femme encore enfant qui ne réalisait pas très bien ce qui lui arrivait. Devenir l'épouse d'un héros disparu... Et ce bambin qui l'attendait à la maison, cette petite fille qu'ils avaient appelée Love.

Ce jour-là, la vieille dame était rentrée très fatiguée dans sa maison isolée. Malgré les pilules à sommeil, elle ne put s'endormir et elle contempla longtemps le ciel avec l'impression qu'elle arrivait maintenant au bout de sa route.

Le glisseur écarlate aux couleurs de la compagnie pénétra dans le garage souterrain car un orage approchait, se gonflait déjà sur l'horizon, rameutant les nuages épars pour les conduire au-dessus de la vallée Bertrand.

— Nous avons pris beaucoup de risques, madame, dit le pilote en aidant Léa Artman à descendre de l'engin.

La femme de chambre l'attendait pour la conduire.

— Madame votre mère est dans la bibliothèque...

Léa Artman remercia d'un sourire, montra le pilote.

— Donnez quelque chose à manger à Jimmy.

Elle s'engouffra dans l'ascenseur qui grimpa rapidement à l'étage des appartements. Elle parcourut ensuite les couloirs aux murs recouverts de bois précieux et de tentures, parvint enfin à la bibliothèque où la vieille dame passait une grande partie de son temps, quand elle ne montait pas s'étendre dans sa chambre au plafond de verre.

La vieille dame se retourna, regarda en souriant sa fille qui s'approchait.

— Léa, ma chérie...

— Bonsoir, maman.

Malgré elle, la vieille dame revoyait toujours la petite fille qui l'attendait le soir sur la véranda de leur maison de Florence-VI.

— Je suis venue te chercher, maman.

La vieille dame cilla. Quelle était encore cette nouvelle lubie ? La chercher, pour aller où ? Surtout maintenant... Surtout après la catastrophe.

— Léa, je devine ta proposition, mais tu sais bien que la planète est en quarantaine, qu'il est interdit de quitter Nausicaa.

— J'ai satisfait à la visite médicale... J'ai obtenu un visa de sortie et il en sera de même pour toi... Les médecins sont déjà prévenus de ton arrivée.

— Seulement, moi, je ne veux pas me prêter à cette mascarade, je ne veux pas quitter cette planète... Te rends-tu compte de ce que tu me proposes ? Fuir à mon âge...

— Il ne s'agit pas de fuite.

— N'insiste pas.

Léa Artman réalisa alors que c'était certainement la dernière fois qu'elle voyait sa mère. Dans moins de dix heures, elle serait dans la dernière navette, en route pour un voyage sans retour. Jamais plus elle ne reverrait cette planète qui avait été l'une des plus riches de l'univers des hommes... Jamais plus elle ne reverrait les dizaines de milliers d'hectares de bonne terre qui étaient son domaine, ni les châteaux baroques qui se dressaient comme des sentinelles sur les collines.

Semtown, la ville champignon, achevait maintenant de se décomposer.

En moins de deux ans...

***

Cela avait commencé à l'automne 2251, un peu avant la vendange qui serait tardive mais exceptionnelle.

Une fois de plus, les étranges machines de la vallée Bertrand tombèrent en panne, déconnectant automatiquement le réseau énergétique du trust Artman qui dut se brancher une fois de plus sur la centrale publique.

Un état de fait qui entraîna les habituelles protestations mais, cette fois, le syndicat des vignerons ne réagit pas avec son habituelle violence, son comité directeur ayant, depuis l'élection de Léa Artman au secrétariat général, une toute nouvelle approche de la situation.

Les vraies questions se posèrent une dizaine de jours plus tard car les machines ne s'étaient toujours pas remises en route. Elles n'étaient jamais restées aussi longtemps silencieuses.

Léa Artman vint chez sa mère qui venait alors d'aménager dans la maison de la vallée Bertrand. Elles y reçurent le recteur Singleton.

Le scientifique avait sa tête des mauvais jours. Il s'approcha lentement des deux femmes, les salua, s'installa dans un fauteuil, refusa d'un geste agacé le café que lui proposait le maître d'hôtel et il attendit que celui-ci soit sorti pour parler.

— L'heure est très grave, commença-t-il.

— Grave pour quoi, grave pour qui ? le coupa Léa Artman avec sa vivacité habituelle...

Essayez-vous de me dire que nos machines ne repartiront plus ?

— Il serait présomptueux de formuler un pareil jugement, madame... D'ailleurs, à mon avis, elles repartiront, mais...

— Mais quoi ? demanda à nouveau d'un ton sec la propriétaire du trust le plus puissant de la planète.

— Elles s'arrêteront à nouveau dans peu de temps et pour une période plus longue et, un jour que je pressens malheureusement proche, elles stopperont définitivement.

— Comment pouvez-vous affirmer une chose pareille... Ces machines tournent depuis des siècles, des millénaires peut-être et jamais elles ne se sont arrêtées définitivement... Alors, pourquoi maintenant ?

Le scientifique se mordilla les lèvres puis il se tourna vers la vieille dame pour lui demander son consentement. Elle eut un léger signe de tête accompagné d'un sourire.

— Ce que je vais vous dire peut paraître incroyable. Pourtant, je suis maintenant persuadé que c'est l'unique solution, l'unique explication du mystère des machines de la salle Artman...

— Allez-y, recteur Singleton, je vous prie, lui ordonna la vieille dame.

Le scientifique hésita encore. Il prit son vieux cartable de cuir usé et le posa sur ses genoux. Il l'ouvrit et en sortit des liasses de papiers couverts de son écriture en pattes de mouche, des dizaines de feuillets auxquels étaient parfois agrafés des graphiques, des relevés automatiques... Brusquement, il refourra sa documentation dans son cartable, en vrac, et il haussa les épaules.

— Ce que je dois vous apprendre est tellement incroyable qu'il est inutile d'essayer de le démontrer, de le prouver ou même simplement de l'apprécier... Il faut le croire ou ne pas le croire...

Le regard de Léa Artman devint plus dur.

— Etes-vous en train de suggérer que nous serions incapables de comprendre vos théories ?

— Non pas, madame...

Il échangea encore un regard avec la vieille dame qui avait réellement envie de rire aux mines offusquées de sa fille.

— Eh bien, j'ai essayé de faire un parallèle entre ces machines et de nombreuses réalisations humaines, toujours sans succès, jusqu'au jour récent où j'ai programmé l'ordinateur de la fondation de manière à ce qu'il compare leur rythme à celui d'un cœur humain... Le résultat fut inespéré car toutes les bandes se synchronisaient alors parfaitement...

Léa Artman ouvrait de grands yeux. Elle alluma une cigarette et en tira nerveusement de longues bouffées.

— Voulez-vous dire que l'on peut considérer nos machines comme le cœur de quelque chose ?

— Exactement, madame... Ces machines sont le cœur de la planète, un coeur qui n'envoie pas de sang mais de l'énergie électrique. En fait, c'est l'unique différence...

Il reprit son souffle.

— ... Seulement, nous sommes maintenant devant un cœur malade, encore affaibli quand nos chercheurs ont débranché la troisième machine, ce qui a dû fatiguer les deux autres... Et si l'on étudie les pannes de plus en plus fréquentes, si l'on compare les courbes de ces dernières années à celles d'un cardiaque humain, on comprend que ces machines vont bientôt s'arrêter à jamais.

Un sourire indéfinissable flottait sur les lèvres de Léa Artman. Maintenant que ce rêveur un peu exalté avait exposé une théorie qu'elle jugeait à la limite de la démence, il importait qu'elle prenne les mesures adéquates pour faire front à cette situation nouvelle.

Pour l'instant, elle préféra la moquerie en faisant croire qu'elle adhérait à la théorie du recteur Singleton.

— Pour nous résumer, dit-elle, vous prévoyez un arrêt prochain et définitif de nos machines ?

— Exactement, madame.

— Et nous n'y pourrons rien ?

— Personne n'a jamais rien pu sur les machines de la salle Artman.

— Eh bien, nous allons faire en sorte d'augmenter la capacité de production énergétique de la compagnie publique et nous compenserons ainsi la perte de nos machines.

Le scientifique eut une moue ennuyée.

— Vous vous moquez, madame... Seulement, le problème énergétique ne sera plus qu'un problème secondaire.

— Que voulez-vous dire ?

— Lorsque les machines de la salle Artman s'arrêteront définitivement, tout ici va mourir. La végétation, les vignes, les bâtiments, les engins et même les hommes de la Terre s'ils sont encore sur Nausicaa.

— Mais c'est absurde !

— Peut-être, madame. C'est pourtant ce que je prévois. La planète sera morte et rien ne vivra plus à sa surface.

— Dans le système solaire, des hommes vivent sur la lune qui est morte depuis bien longtemps.

— Nausicaa est une planète particulière.

La vieille dame était restée silencieuse. Elle quitta son fauteuil et alla jusqu'à la fenêtre qui s'ouvrait sur la vallée Bertrand. C'était le début de la belle saison sur l'hémisphère nord et les orages devenaient rares. Elle contempla un long moment les collines de sable qui cernaient la dépression.

— Selon vous, recteur Singleton, que devrions-nous faire ?

— Evacuer Nausicaa tant qu'il est encore temps... Bientôt, la planète sera morte, un immense corps en décomposition, et rien n'y survivra.

— C'est ridicule, dit Léa Artman en haussant les épaules. Elle se leva et alla rejoindre sa mère près de la fenêtre.

— Je croyais jusqu'à cet instant que tu subventionnais une fondation scientifique et je réalise que tu engraisses des charlatans !

Elle fit volte-face et, sans un mot de plus, sortit de la pièce.

La vieille dame revint vers le scientifique.

— Recteur Singleton, pouvons-nous tenter quelque chose ?

— Hormis l'évacuation massive et immédiate, je ne vois pas d'issue, madame.

Il eut un sourire triste.

— Vous devez partir dès demain.

Elle le fixa et lui répondit calmement.

— Je n'attendais pas de pareils conseils de votre part... Vous savez parfaitement que je ne quitterai jamais plus le sol de Nausicaa.

— Je devais quand même essayer de vous sauver.

— Merci, recteur Singleton.

Les hommes de la Terre ne quittèrent pas Nausicaa. Pourtant, moins de trois mois plus tard, les machines de la salle Artman stoppèrent à nouveau. Bien entendu, personne ne crut que c'était l'arrêt définitif, surtout Léa Artman qui en avait fait un problème personnel.

« Quand il le faudra, je ferai en sorte que la fondation Artman ne soit plus le refuge de pseudo-scientifiques qui ne sont en fait que des charlatans ! »

Elle en discuta encore une fois avec la vieille dame qui ne lui répondit que par des sourires, sans cesser d'affirmer qu'elle gardait toute sa confiance au recteur Singleton.

« Après ma mort, tu feras ce que tu voudras,

Léa... Seulement, après cette mort, il sera sans doute trop tard...

— C'est ridicule, nos machines sont reparties il y a une heure.

— Bientôt elles ne repartiront plus et Nausicaa sera bien morte...

— Absurde... Tu es complètement envoûtée par ce charlatan ! »

Une fois de plus, Léa Artman était partie en claquant les portes derrière elle. C'est la semaine suivante, en trois jours, que la totalité de la vendange de l'année pourrit sur place ; une maladie étrange qui desséchait les grappes, transformant les grains gorgés de jus en poussière, comme de la cendre rouge.

Les premiers humains ne furent atteints que plus tard, l'incubation étant sans doute plus lente mais les résultats tout aussi effroyables. Ceux qui étaient touchés dépérissaient rapidement, perdant parfois la moitié de leur poids en quelques heures avant de mourir dans d'affreuses souffrances. Les services médicaux furent vite débordés puisque, avant la fin de l'année 2251, on comptait déjà dix-sept millions de victimes.

Dès le début de l'épidémie, le Centre avait envoyé une unité de recherche biologique. Elle s'installa dans les bâtiments de l'astrobase, isolée du reste de la planète par un cordon de troupes chargées de filtrer les départs de ceux qui voulaient quitter Nausicaa.

A la fondation Artman, juste avant de mourir, le recteur Singleton termina un rapport qu'il transmit aux biologistes du Centre. La conclusion était claire et immédiatement applicable.

« *Nous ne nous trouvons pas en face d'une épidémie telle que nous avons l'habitude de les combattre. Ce ne sont pas les humains qui sont malades, mais le sol sur lequel ils vivent, l'air qu'ils respirent.*

Cette planète est morte et, par un phénomène pour l'instant inexplicable, tout ce qui se trouve à sa surface, quelle que soit son origine, végétale, animale et même minérale, meurt aussi.

Il ne s'agit donc ni de microbes ni de bactéries, mais d'un échange quasi-cellulaire entre une planète et ses habitants. Eloignez un malade de ce monde et il retrouvera immédiatement la santé.

Pour sauver la population de Nausicaa, il ne faut pas la tenir en quarantaine mais lui donner au contraire les moyens de fuir... »

Bien entendu, personne ne tint compte de ce rapport qui fut même gardé secret par l'unité de recherche biologique. On resserra au contraire les mailles du cordon sanitaire et seuls les privilégiés ayant obtenu un visa médical de sortie purent quitter le gigantesque charnier.

Et puis il y eut un premier décès parmi le personnel de l'unité de recherche biologique, mais cet incident fut étouffé par les autres membres de la mission qui craignaient qu'on les abandonnât eux aussi sur la planète-cimetière.

***

— Alors c'est décidé, demanda Léa Artman à sa mère. Tu ne viens pas avec moi ?

— Je reste sur Nausicaa.

Léa Artman se mordilla les lèvres, hésitant encore un peu à quitter sa mère pour toujours. La vieille dame la fixait avec intensité.

— Et Selva ? demanda-t-elle.

— Selva est morte ce matin... La petite Love n'en a plus que pour quelques heures. Je l'ai fait transporter au château...

Une profonde douleur intérieure se refléta quelques secondes sur le visage de la vieille dame.

— Je vais te demander une dernière chose... Ensuite, tu pourras quitter Nausicaa à jamais, sans traîner d'éternels remords, sans te torturer avec de faux problèmes.

— Demande, maman.

— J'irai avec toi jusqu'au château pour y prendre Love que je ramènerai ensuite ici.

— Mais Love est perdue... Elle sera peut-être déjà morte quand nous arriverons.

— J'aimerais quand même essayer.

Devant l'insistance de la vieille dame, Léa Artman parut s'affoler.

— Mais je n'aurai jamais le temps de te ramener ici et le pilote du glisseur ne reviendra pas dans la vallée Bertrand. Il est atteint et il préférera mourir chez lui...

La vieille dame eut alors un sourire amusé.

— Je rentrerai seule aux commandes du glisseur... Ça me fera plaisir de piloter une dernière fois et si je rate mon atterrissage, ce ne sera pas tellement grave.

Léa Artman eut un mouvement d'épaules.

— Comme tu voudras, maman.

La vieille dame s'approcha du mur de béton. Elle y passa ses doigts, creusant de petites rigoles dans l'indestructible avec autant de facilité que si elle s'attaquait à un château de sable.

— Après la végétation et les humains, maintenant la matière... Bientôt, il ne restera rien d'étranger sur Nausicaa... Il nous faut faire vite.

***

La dernière navette ne put décoller. Elle s'éleva d'une cinquantaine de mètres, ses moteurs crachant leur fantastique puissance puis le métal céda, même les structures de titane, et la navette retomba sur l'aire de départ.

La fin.

Déjà, les bâtiments se fissuraient et certains, les moins solides, s'écroulèrent, rongés comme des châteaux de sable, mélangeant leur poussière ocre à celle des humains désagrégés.

La panique se leva, gagna les derniers survivants qui fuirent loin de Semtown, loin des édifices devenus pièges, allant toujours plus loin dans les plaines de sable...

***

Le glisseur se posa maladroitement. Il dérapa sur la pente et son train d'atterrissage s'affaissa.

L'aile gauche accrocha, le faisant pivoter brutalement sur lui-même puis il se brisa en deux.

La vieille dame coupa machinalement le contact-moteur, déverrouilla les portes et resta immobile.

« Encore capable de piloter un glisseur sur deux mille kilomètres, songea-t-elle en souriant. Prise de contact un peu rude mais on s'en est sorties... »

Elle se tourna vers Love... La petite fille la regardait et ses yeux paraissaient encore plus grands dans son faciès amaigri, lui mangeant presque le visage.

— T'aurais jamais pensé que la vieille mamie puisse encore piloter un glisseur, n'est-ce pas, ma chérie ?

La petite fille fit « non » de la tête, sans pouvoir prononcer une seule parole car la maladie devait déjà ronger son larynx. Elle ouvrit la bouche pour chercher l'air que ses poumons transformés en poussière ne pouvait plus absorber.

Love était morte...

... La vieille dame prit le corps de l'enfant dans ses bras, une plume, quelques kilos seulement, et elle avança lentement dans les sables de la vallée Bertrand.

Elle marcha durant presque une heure avant d'arriver devant la borne de céramique. Elle déposa alors le corps de la petite fille sur le sol et entreprit de creuser le sable avec ses mains.

Au fur et à mesure qu'elle avançait dans son travail, la vieille dame sentait la fatigue la gagner. Elle leva les yeux vers le ciel, vit les nuages qui commençaient à se rassembler. Un orage... Sans doute ne lui restait-il plus que peu de temps...

Elle reprit le corps de la petite fille et le plaça dans la fosse puis, lentement, en prenant le sable dans ses mains jointes, elle commença à le recouvrir.

— Ici, tu resteras... Tu demeureras le seul souvenir des hommes de la Terre sur cette planète. Ailleurs, depuis longtemps, le vent aura dispersé les cendres...

Elle sentit ses propres larmes quand elle recouvrit le visage souriant de l'enfant. Ce fut alors qu'éclata le premier éclair, encore lointain... Les nuages obscurcissaient maintenant le ciel couleur de feu. La foudre frappa à nouveau, plus proche, et la vieille dame se sentit joyeuse, sans raison, peut-être comme la première fois qu'elle avait vu John.

Elle comprit que la planète allait enfin l'accueillir.

En trois jours seulement, toute trace de colonisation humaine disparut de Nausicaa.

Trois cents siècles s'écoulèrent sans que rien ne se passe sur la surface morte puis un jour, de manière imprévisible, les machines de la salle Artman se remirent en route, mais personne ne connaissait plus leur existence, et encore moins le nom que leur avaient donné les hommes.

Presque deux cents autres siècles passèrent encore avant qu'un obscur astronome découvrît l'existence de la petite boule perdue dans le système-18 de Bételgeuse. Il réfléchit un instant pour lui trouver un nom, mais celui-ci lui vint naturellement, sans doute la réminiscence d'une lecture scolaire.

Nausicaa...

Plus tard encore, alors que la boucle des

cinquante mille ans allait se terminer, une petite lumière apparut dans le ciel rougeâtre de la planète.

Elle grandit... devint plus lumineuse... Le premier engin d'exploration approchait...

PRODUCTION
EDITO-SERVICE S.A., GENÈVE

IMPRIMÉ EN ITALIE